今こそ世界平和の旗手となれ

日本の「フルサト」が和やかな未来を創る

二木光

はじめに

4年前、平和の崩壊を筆頭に環境の劣化、資本主義経済の桎梏、この三重苦（トリレンマ）が地球（ガイア）の持続性を脅かしている、と「日本が地球を救う（以下前著）」で指摘した。図らずも同書発売3年後にウクライナ戦争が勃発し、1年以上経過したが今なお終息の兆しが見えない（令和5年4月現在）。この戦争は前著が指摘した国際連合安全保障理事会の機能停止を再度あぶり出し、世界に知らしめた。他の覇権国がこの現状につけ込み、不穏な動きを見せている。この現状を第三次世界大戦の前哨戦だと仄めかす識者もいる。

ところで近年、ＡＩ（人工知能）の普及が目覚ましい。そして、囲碁の布石に大きな変化がみられた。プロ棋士がＡＩに影響されたのである。ＡＩが盤上烏鷺の戦いに指南役として収まっている分には平和的だが、地球上人類の戦いに兵器の一部として使用されれば悲劇が待っているだけだ。近年、音速の5倍という極超音速ミサイルが配備され、探知や迎撃が難しく、既存のミサイル防衛システムでは突破されるそうだ。膨大な情報を頭脳に持つ一方、人間の感情を持たないＡＩがこの防衛システムの中で、ある情報に過敏に反応し、誤作動する可能性は年々増大している。その際地球は、比喩ではなく、瞬時に破滅するであろう。そして人類も滅びる。ＡＩの使用に当たっての規則を作ろうとの動きも、当然、ある。しかし、世界の中で規則がいかほどの役に立つか、我々はウクライナのケースで学んだ。22世紀は科学の進歩とＡＩにより明るい色の世界となるか、あるいは闇に包まれた暗色の世界か、今はそれらが混じり合った鈍色の世界しか見えない。武器がある限り、軍拡競争が止めどない限り、この暗色が増えるリスク度は上昇し、鈍色はますます暗くなる一途だ。

地球に誕生した生物が40億年かかって知的生物、現代人（ホモ・サピエンス）を生み、育んできた希有な地球環境。

その宇宙の奇跡の中で共生してきた人類と地球が今、心中しようとしている。

　ウクライナの悲劇は、現代でも昔ながらの戦争がどこででも起きうることを実証し世界を震撼させた。ゼレンスキー大統領は国連安保理における常任理事国の拒否権（veto）廃止を世界に訴えた。この訴えは残念ながら実現しない。常任理事国の５大国：米英仏中ロ（以後、Ｐ５）が拒否権を有している限り、永遠に実現しないと断言できる。

　拒否権を廃止せよとの訴えを少しアレンジする形で現状を打破できるとし、それは日本でしかない、と前著で述べた。この道しかない。これしか22世紀の地球の存続、次世代の存続を約束する方法はない。アレンジの内容は数段階を踏むが簡単である。まず初めに国連憲章第十八章、第百八条［改正］の中の、……**すべての常任理事国を含む……**、を、……**常任理事国の３カ国を含む……**、と改正するだけである。当然、否決されるのは明らかだ。ここからは日本のソフトパワーによる爆弾が必要である。１８５ヶ国（内訳は前著）と共闘し、反対する数カ国に対し、提案以外の方法で平和をもたらす案の提示を強要する。上記案は下記、安保理決議案と一体となって地球を救う最終機会である点を再三再四強調し、捨て身の覚悟で可決されるまで訴える。最適案が可決され批准されれば、その後の必要な憲章変更は円滑に進むであろう。次のステップは上記と全く同じように安保理決議の拒否権を狭める。具体的には、第5章安全保障理事会、〔表決〕第27条3、……**決定は、常任理事国の同意投票を含む9理事国の……**、を、……**決定は、3ヶ国の常任理事国の同意投票を含む9理事国の……**、と改正するのみである。詳細は本文に委ねる。何れにしても、ジャン・ピエール・デュプュイは、共通した「賢明な破局主義」を全人類が共有しない限り、滅びるのは必至だとした。フェルミも言う、「知的生命体は文明が発達すれば自ら滅亡する」、と。今こそ人々は彼らの声に真摯に耳を傾けなければならない。

　上記の過程を経て、最終的に国連が不偏不党の司法力・軍事力を持って調停する以外に国際の平和は成就せず、軍拡の終息と核兵器廃絶という目標達成は期待できない。その国連改革のためには和力を持ち凹型文化を育んできた日本が不退転の覚悟を持って旗手となり、国連改革の動議と提案を提示すべき、と前著で謳った。その大前提が日本への信頼・尊敬と同調であり、日本はその条件を今のところ辛うじてクリアしているが、近年はその信頼を損ねる事件や現象が相次いでいる。政官財界何れからも不正の事例が後を絶たない。近年は世界の祭典オリンピックを舞台とした談合事件が発生し、世界に恥を曝した。影では不正をはたらいても恬として恥じない文化を持つ民族、日本人、と断じたルース・ベネディクトを侮れない。これらを取り上げ、本文で論議した。

一方、前著で究極的に地球の持続性を高めるためには、世界平和の他に二極化と経済競争の激化をもたらす現在の資本主義経済、市場原理経済の痛みを緩和する必要があるとも、指摘した。この分野でも、やはり日本は有用な経験と手法が見出される。また、地球環境の保全には、技術開発・普及・援助が必要であると指摘したが、そこに果たす日本の近年の経験が大いに有益であるとも言明した。

しかし、その目標を達成するためにはいくつかの阻害要因が立ちはだかっているのは自明である。前著ではその阻害要因については掘り下げて取り上げなかったが、本著ではその阻害要因と対処法にも少し焦点を当てる。前著が明るい側面を著述したのに対し、本著では暗い側面にも光を当てた。

阻害要因、あるいは障害物、ビジュアルに表現すればハードル、はそれぞれの中間目標に不可避的に存在する。前著の図表「日本の取り組みと目的樹」から高いハードルが想定される中間目標を要約すれば以下となる。

1. 日本の理解国が増加する
2. 国連、特に安保理制度改革
3. 現経済体制の痛みの緩和
4. 地球環境劣化の阻止

これら全てのハードルは地球の持続性を高めるために確実に越えねばならない。本著ではそれぞれのハードルの特質を把握し直し、想定される状況を考察し、究極的に乗り越える手段と道程案を提示した。それぞれのハードルをリスクと読み替えれば、リスク・マネジメント、危機管理を主題とする、とも言える。

各々の専門家にとっては、門外漢である著者の分析と解決案の中には無知に基づく的外れ、思い違いが多々あるのは承知しているが、それぞれの専門家、識者の方々にはその知識と専門性でより現実的な道程を示してもらえれば、それこそ本書の目的でもあり、著者の本望だ。世界の平和を脅かす地域紛争、ヨーロッパが苦渋の選択とした難民受け入れ、等の現実問題の他、核の脅威、軍備拡張等々憂いは限りない。日本自体も種々の苦境を背負っている。拉致問題、沖縄の不幸、領海（領土）の侵犯等々。これらの問題は一刻の猶予もないほどで、早急なる解決策を打ち出さねばならない。

第一章は前著「日本が地球を救う」の要約である。前著を読まれた方は読み飛ばしていただきたい。第二章では、日本の理解国が増加するための必要条件を検討した。日本国への信頼が増しモデル国と認識され、国連会議での発言力と説得力を増大させるためには、日本が他国より治安や産業・経済発展が良く、自然との調和に優れ、町が清潔で伝統文化が尊敬されねばならないのは当然であるが、まず、先の大戦の総括が喫緊の課題だ。そして、その事実を発信する課題も残っている。やり残しが多いため、日本が誇る文化や公徳心、組織倫理等には衰えや翳りさえも観察される。しかも、恐ろしいことにかつて日本が誇った生産性の高さは急速な減速をしており、今や先進国中では最下位に近いほどである。この推移を逆転させ右肩上がりに生産性を高め、景気を回復させるのは、日本がモデルであり続けるためには必須の要件だ。経済回復の一阻害要因とみなされている少子化には、大胆な価値観の変換を提案した。

第三章では国連、特に安保理制度改革に当たっての想定される難局とその対応策を検討した。国連、特に安保理改革のためには国連総会に提出された日本の動議（安全保障理事会常任理事国である五大国の拒否権を狭める）が採択されねばならない。現状の国連憲章の下ではこの案が否決されるのは火を見るより明らかだ。Ｐ５の一国でも反対すれば案は葬り去られるからである。特に米中ロの反対は覆せないであろう。その状態を粉砕するだけのソフト・パワーによる爆弾を用意せねばならない。そのためには日本の提案に同意する共同提案国を探さねばならない。

第四章では二極化の歯止めを取り上げた。まず始めに資本主義経済における二極化とその歯止め、緩和の一方策、を考察した。二極化は資本主義経済の鬼子だ。経済競争の激化自体を緩和することは叶わなくても、頑張る全ての人がそれなりに報われる世界であるべきだ。そのために第二章で触れたふるさとの復活を具体化する道程を示した。その中で人々が、村落が自立し、「フルサト（住民が活気に満ち、伝統や祭りが定期的に実施され、心の拠り所となるような美しく、郷愁を誘う景観を含む村落）」を創出する必要性、メリットと農業の振興、ふるさと資源の活性化の重要性を述べた。その中で、共同体の努力を支援するプロジェクトの有効性を紹介した。

また、歴史的、地理的、家庭的に過酷な環境に生を受けた人々へは、トリックルダウン、あるいはセーフティーネットの恩恵に与れる機会さえも限られるため、恵まれた国・人々は何らかの特別な支援の手を差し伸べる必要がある。特にアフリカは「貧困と飢餓」から完全に抜け出ていない。それどころか、自然環境は悪化の一途だ。アフリカで生きがいがあり、生活の不安の少ない「フルサト」を創出できれば、そこに定住し難民となって海外に流出する動機も減じることが期待できる。当書ではアジア、アフリカで実証され、効果の高さが確認された参加型持続的村落開発手法を紹介した。

第五章では地球環境劣化の激しいアフリカに焦点を当て、歴史、風土、気候が環境に与えた負の遺産、環境劣化の核心、持続的農業技術を中心とした環境保護の方策、等を紹介した。地球温暖化は経済競争の激化と軌を一にしている。また、人々の生活水準の向上とも相関している。国家の政策が経済や人々の生活まで関与できる余地は限られており、パリ協定がどこまで実効性があるか予断を許さない。アフリカはむしろ積極的に環境を好転させていかねばならない。

本著は、日本が地球を救うに当たっての「リスク・マネジメント」との位置付けである。前著で言い足りなかった部分を補い、新たな知見を加えて筆を執った。地球の運命、次の世代が生き残れるか否かの運命を我々世代は握っていると言う訴えに、一人でも多くの賛同者が現れるのが待たれる。

目次

第一章：プロローグ

1―1　前著「日本が地球を救う」要約

Ⅰ．地球の危機

地球は今、環境劣化、資本主義経済の桎梏、平和の崩壊、この三大脅威に曝されている（図1―1参照）。平和だと思っている日本も国境を接した国々との間に未解決の深刻な課題を抱えている。拉致問題、尖閣諸島・北方領土や竹島問題、密漁や排他的水域における一方的資源開発、等々解決の兆しも見えない。沖縄の犠牲は今も続き、完全な平和はいつ実現できるのか、そのシナリオを描くことさえ困難だ。

環境劣化は特にアフリカで深刻で、はげ山となった傾斜地では浸食が激しく、自然環境が悪化しているだけでなく、食糧生産の畑も脅威にさらされている。地球温暖化を阻止するためのパリ協定が結ばれたが、効果を発揮できるか否か、予断を許さない。

グローバル化した経済は途上国にも押し寄せており、資本の論理は便益より競争の激化をもたらし、二極化は拡大の一途だ。都会のスラムに居住した貧困一家、特に若者のたどる道の一つは犯罪や覇道の宗教、テロに走ることしかない。

図 1-1　地球を巡る問題（因果）樹

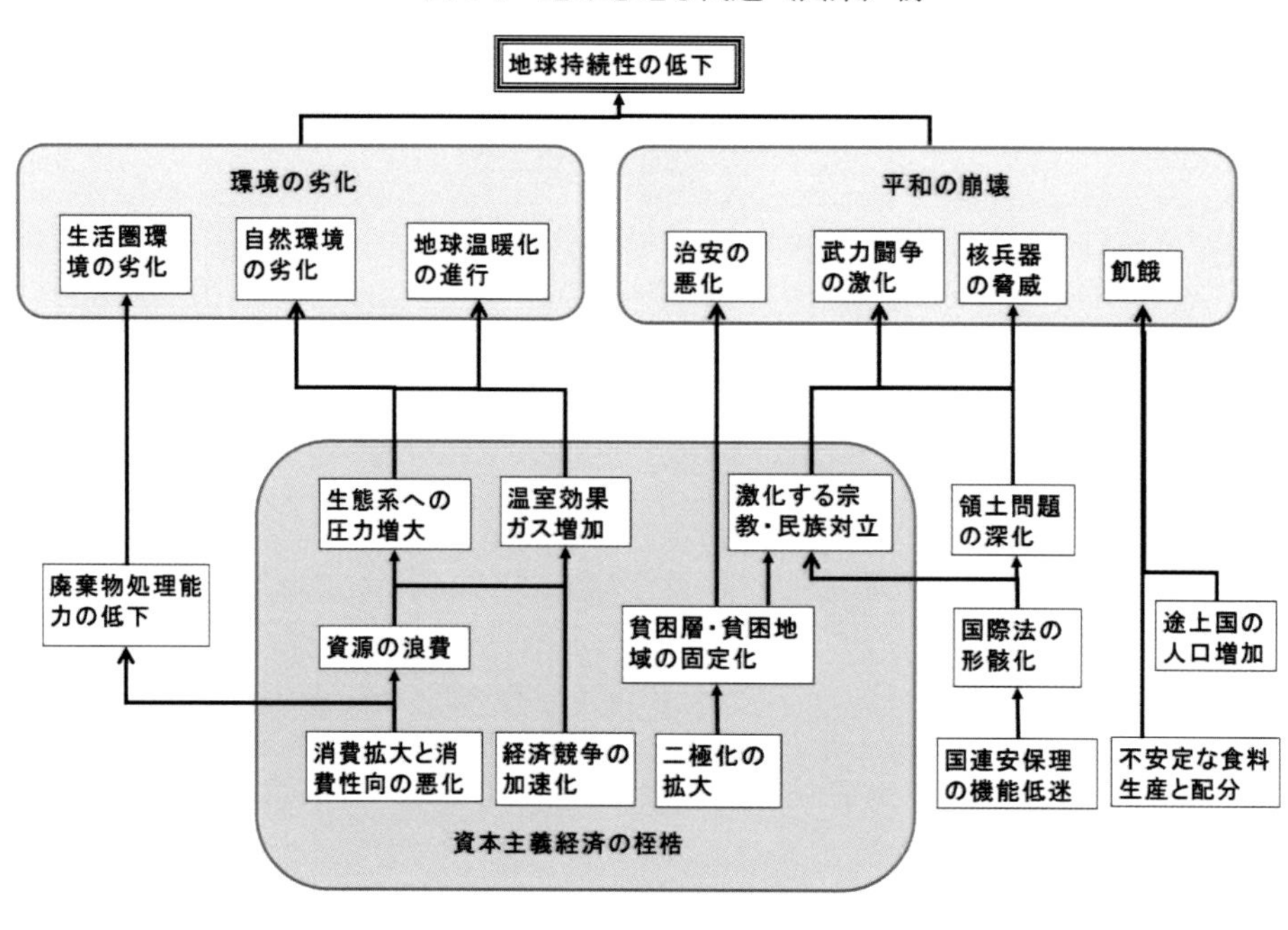

冷戦が終了して世界平和が実現するかと期待が高まったが、その後の推移は期待を裏切り、核の脅威は世界の終末をさえ危惧される。地域紛争は後を絶たず、一般人を恐怖に陥れるテロも散発的に世界各地で発生している。

地球の持続性に関し、物理学者エンリコ・フェルミは興味ある仮説を述べている。つまり、地球外文明の存在の可能性の高さと、そのような文明との接触が皆無である事実の間の矛盾に光を当てた。宇宙人（エイリアン）はいる、と考えられるのに、一体彼等はどこにいるのか、として多くの仮説を提示している。生物の誕生、その生物が知性を獲得し遂に文明を発達させた現代人の出現、と言う奇跡の出来事を物語る多くの推論を提示する一方、知的生命体は文明が発達すれば自ら滅亡する、との仮説も打ち出している。文明の発達が核兵器のような最終兵器を生み出し、何らかの契機によりその暴発で生命体は自ら滅びるとの予測だ。世界戦争から遠ざかっている現在、それ以上の脅威である核兵器が世界に蔓延している。フェルミの仮説が信憑性を増してきているとも言える。

知性を天から賦与された現代人が、何故、自らの首を絞めるような核兵器を次々と製造し続けているのか、地球環境の悪化に歯止めを掛けられないか、貧困層を置き去りにした開発をし続けるのか。これらの原因の一つは資本主義の桎梏であり、世界の平和と治安の責任を持つ国際連合の機能低迷、等だ。これらの問題はお互い複雑に絡み合い、民主主義、個人主義、自由主義等の思想が信仰宗教のように、それらの問題群を扇動しているような印象さえもうかがえる。

Ⅱ．日本の特質

奇跡の中から誕生したヒト。それは自然の摂理であり、「カミサマ」の計らいと考えることもできよう。自然の摂理で誕生した地球環境が悪化しているのは、同じ自然の摂理から生まれたヒト自身が招いたものであり、それを改善させるのはヒトの義務と考えられる。それを何故、日本人が率先して取り組まねばならないのだろうか。それは、①日本誕生以来、海外から受けてきた恩恵に報いるため。つまり、恩返しである。次に、②人類の共存共栄の観点からも正当化される。③日本は人口と食糧生産が均衡していた長い歴史と経験を持っている。つまり、地球の環境包容力（キャリング・キャパシティー）の中で生存していくノウ・ハウを持っている。最後に、④日本が持つ資質と能力は世界の争いを減じ、地球環境を救うための切り札となりうる。

日本は長い文明の歴史を誇っている。その長い歴史の中で、日本は海外から多くの知識や文明から示唆を受け、換骨奪胎して日本独自の文明を完成させてきた。中でも日本語の確立は僥倖であったと言える。島国と言う地勢的な有利さが背景にある。中国から朝鮮を伝って漢字がもたらされたが、遂に中国語に置き換らず、漢字を自家薬籠中のものにし、ひらかな、片仮名を創り上げ、漢字仮名混じりの日本語を創り上げた。縄文時代から「和」を尊ぶ心性を発達させてきたが、この心性は日本語の発達と共に磨きあげられてきたのであろう。日本語が「和」の精神を高め、「和」の心が日本語の発展を促してきたのであろう。その背景には山紫水明の自然があり、その自然の中から信仰とも言える「カミサマ」を信じる心が日本人の心の中に岩盤のように造り上げられ、凹型の心性を発達させてきたと想像できる。超凸型の国々が取り巻く中、唯一先進国で凹型の日本は他者を慈しみ、受容・容認・控えめ、妥協的、協調的で、今後世界が争いを収束するための大きな武器の一つとなりうる。これらは豊かな自然環境の中で独得の価値観、宗教感となって、日本人の意識の深層に沈澱しており、普段は意識に現れず、自分達を無宗教と思い込んでいるほどだ。

一方、多様な伝統芸術の発達は、凹型文化が花開いた結果であり、何れも奥が深く現代でも営々と受け継がれ発展している。それら伝統芸術は世界に誇れる日本人の心の故郷である。伝統芸術、あるいは伝統芸能は人々に潤いをもたらし、和ませ、幸福感を醸成する。歴史が生んだこれらの伝統芸術は、世界の人々に触れてもらうことで平和への礎を築いていくものと信じられる。

特に町の美化、ゴミ収集等で地域の自治体が中心となった共同活動が際立っている。環境保全の伝統は江戸時代に完成の域に達し、当時は世界でも有数の清潔な国土を実現していた。また、技術を伝達しようとの徒弟制度や、神社で行われている種々の行事は技術継承をその目的に含んでいる。

Ⅲ．日本が地球を救う行程

資本主義経済に関し、その欠陥を指摘し限界を予言する数多くの出版物があるが、代替案となるべき経済システムを提言した著作は、著者の浅学の悲しさ、目に留まっていない。里山資本主義（藻山）が自然との共生の中に豊かさを見出す一つの案を提示しているが、個人の生活スタイルの代替案の域に止まる。日本の中でも限られた地域と人たちのみで享受できるシステムで、アラブ文明圏や西欧諸国にとってはユートピアの世界でしかない。唯一、哲学者のジャン・ピエール・デュピュイの「経済の未来」、あるいは「定常型社会」（広井）が、現状では最も説得力があるように窺える。

図 1-2　日本の取組と目的樹

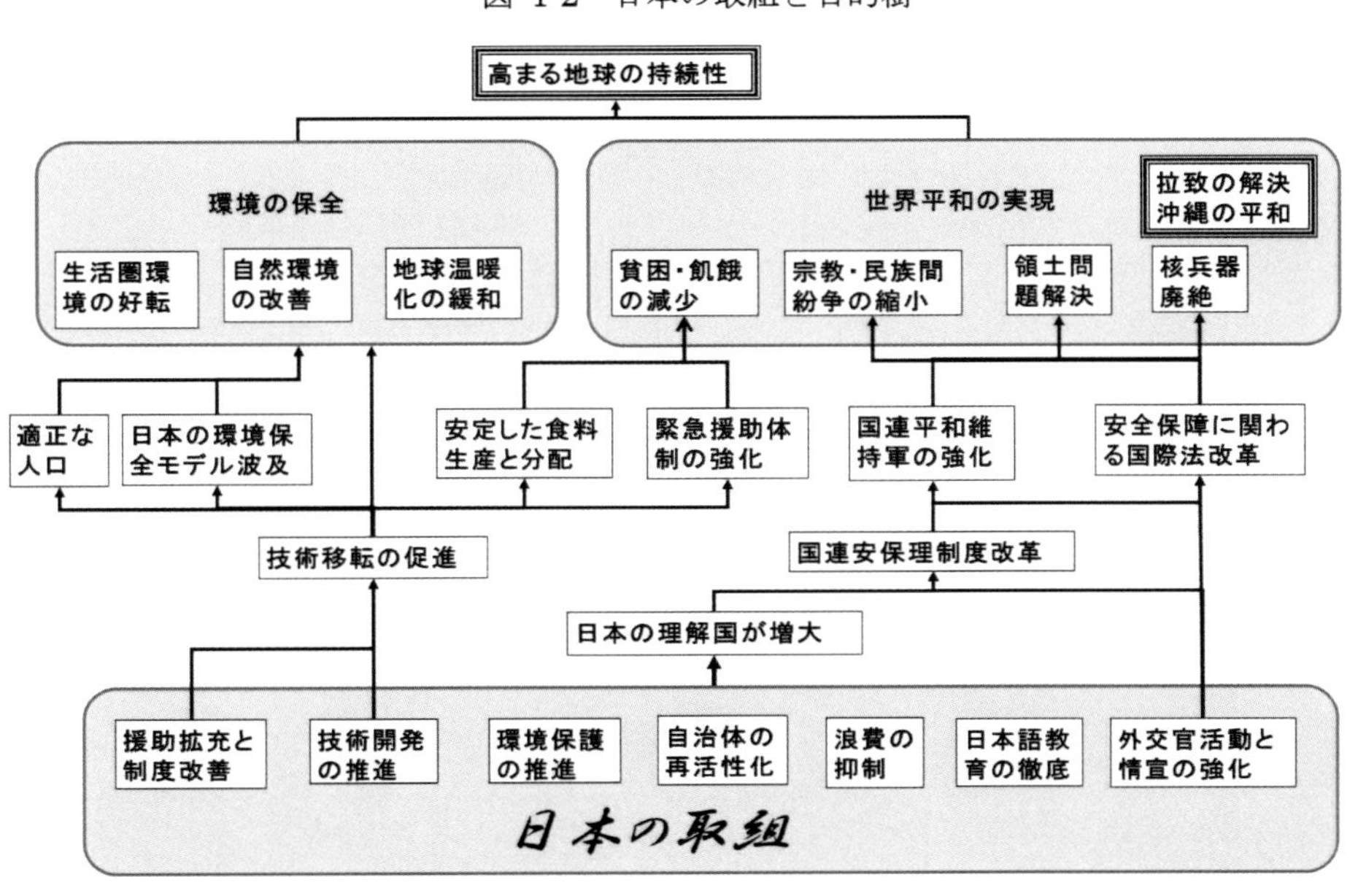

著者は経済や景気に関しては門外漢だ。従って、「資本主義の桎梏」に対しては、対症療法の戦略しか提示していない。貧困・飢餓への対処、浪費の抑制、食糧生産の技術協力、自然災害発生時の緊急援助隊の拡充、等で、当面の経済システムの弱点を補うとの戦略である。

一方、日本の特質で際立つのは日本語の深奥幽玄だ。長い歴史の中で海外から多くの文化や言語を取り入れ換骨堕胎して漢字仮名混じりの日本語を完成させた。この日本語教育を更に充実させ、英語は日本語をかなり身に付けた後、中学校からの学習を勧めている。

日本の開発援助事業は１９９０年代世界で一番の額を誇っていた。その額が削られ、現在では世界で五番目にまで落ち込んでいる。その額を倍増し、援助の制度を改革し、援助の質・量とも拡充するのは被援助国が発展するのみならず、日本の評価を上げるのに一役買うはずだ。

また、環境保全に果たす地域自治組織の強化も促し、日本が世界のモデルになるような戦略を提案した。日本は優れた伝統芸術・文化の宝庫なので、これらを海外に紹介する映像手段を数多く製作し、海外に赴任する民間の技術者、協力事業に携わる専門家や協力隊員たちが、海外で日常的にそれらを上映し、日本の良さをアッピールすることを提案した。これらの働きにより日本への理解が深まり、日本の同調国を増加させるのが目的である（図1―2参照）。

このような背景で、外交官や政治家が凸型の鬼となって、国際舞台で日本の提案に他国が一票を投じてもらうのが戦略である。国際会議は魑魅魍魎の世界で、国益むき出しの代表たちが自国最優先の意思表示をしてくる。エリートたる外交官や政治家には、そのような戦場で彼らに負けないくらいの鬼となってもらわねばならない。銃後の国民は普段の生活を守り、鬼となった彼らに各種の金棒（ソフト・パワー）を提供する。これらの当面の最大の目標は、国連安全保障理事会の五大国（P5）が常任理事国となっているが、その拒否権を狭めることである。現在、安保理の決定にはP5全ての賛成が不可欠になっており、紛争解決への安保理決議が滞り、機能不全を起こすケースが目立つ。日本もその常任理事国に加わろうとしているが、その提案は流産しかけている。そこで、日本が常任理事国になるのを断念し、その見返りとしてP5の三ヶ国の賛成及び構成国の三分の二で採決されるような改正案を、総会に提出する。鬼が金棒を振るえば、ブレークスルーが起こり、この不可能な課題を木っ端微塵にすることも夢ではあるまい。まず総会において、国連憲章の改正をせねばならないが、現状では以下のようになっている。

第十八章、第百八条［改正］　この憲章の改正は、総会の構成国の三分の二の多数決で採択され、且つ、安全保障理事会の**すべての常任理事国を含む**国際連合加盟国の三分の二によって各自の憲法上の手続きに従って批准されたときに、全ての国際連合加盟国に対して効力を生ずる。

これを、下記のように改正する提案だ（太字が改正部分）。

第十八章、第百八条［改正］　この憲章の改正は、総会の構成国の三分の二の多数決で採択され、且つ、安全保障理事会の常任理事国の３カ国を含む国際連合加盟国の三分の二によって各自の憲法上の手続きに従って批准されたときに、全ての国際連合加盟国に対して効力を生ずる。

これはＰ５によって反対されるのは明らかなので、永遠に回り続けるメビウスの輪のように評決されないだろう。しかし、この提案が通らなければ未来永劫世界に平和は訪れない、との信仰心をＰ５以外の国々と共有すれば、必ず大願は成就するはずだ。

重要なのは改正案提出動議（理由）の内容で次のような案が考えられる。

第二次世界大戦後、その戦勝国五ヶ国が安全保障理事会の常任理事国となって、国際の平和と治安維持の役割を担ってきたため、それ以後重大な世界大戦は抑えられてきました。この功績は大いに称えられるべきです。一方、戦後70年を超え、世界情勢は当時から大きく変化しました。未解決の地域紛争や重大な国際テロ事件も多く、その騒乱により多数の犠牲者が発生し続けています。核兵器の保有数も高止まりで、更に新たな国が核兵器実験、保有を進めています。兵器開発と増強も加速しており、軍縮は遅々として進んでいません。それらの危機に対応するため、迅速な安全保障理事会の決定と対応策を打ち出す必要性がこれまでになく増してきたと言えるでしょう。つまり、現況の安保理制度の運用上の障害を取り除き、機能不全に陥るのを未然に防がねばなりません。迅速な安保理の決定のため、新しい時代を迎えた現在、上記のような提案を致します。

（筆者注：ウクライナ戦争勃発前の提案）

それが成功すれば、現況、床の間の掛け軸になっている国連憲章の改正に向け、多くの提案を行っていく。まず、安保理の表決法も上記に即し、**「すべての常任理事国」**を**「常任理事国の３カ国」**に改正する。次いで、国連軍事部門、あるいはＰＫＯ部隊の制度改革と強化により、世界の紛争に国連が大きく肩入れする制度に改善する。このような取り組みで、紛争は完全に解決できずとも、未然に防ぎ、戦闘やテロは縮小することが期待できる。核兵器の廃絶に向けた日本政府の提案も、より多くの国が一票を投じることが予想される。

日本が抱える問題の一つ、最前線基地の沖縄には、米軍に変わり国連部隊に登録された自衛隊が駐屯することが期待される。拉致問題も、新しい国連安保理下となった自衛隊が国連軍となって解決できるよう、自衛隊員が国連文民官の役割を付与され、武力を携帯しない調査員となって北朝鮮の調査を行えるような制度としなければならない。当然、その結果いかんによる解決には国連軍の強制的措置が取られることもありうる。これらの取り組みで世界平和に近付くことが期待され、環境保全の技術開発・移転等と相まって、地球環境の持続性が高まるものと期待が膨らむ。

1―2　鈍色の新世界

ドボルザーク作曲「新世界より」（交響曲第９番）特に終盤第四楽章まで来ると震えるような感動を覚える。ニューヨーク市のカーネギーホールで初演された時、詰めかけた西洋からの移住者子孫たちの興奮は頂点に達したであろう。新世界（アメリカ）への開拓植民に過酷な体験をしてきたピルグリム（清教徒）たちを祖先に持つアメリカ人にとって、アメリカの新天地は自分達の夢を叶えてくれる約束の地であった。そして、初演された20世紀初頭までの苦難と成功の思いが交響曲の中で共鳴した時の感動は我々の想像を遙かに絶するであろう。

しかし、彼等にとっての（新）世界は、実は先住民たちの世界、古くからの楽園であった。一万年以上も前の旧石器時代に既にモンゴロイド人類がアメリカ大陸に移動し、生活していたことが遺物・遺跡の発見によって明らかにされている。１４９２年、コロンブスがアメリカ大陸を発見した時の先住民人口推定値は約90万人から１８００万人との研究がある。大きな幅があるが、それはそれぞれの推定値を打ち出した研究者たちの歴史認識の違いによるものとの考えもある。何れにしても、その後４００年たった19世紀の末、アメリカ合衆国にはわずかに25万人の先住民を残すのみであった。

清教徒たちは先住民を彼らの楽園から駆逐し、虐殺し、持ち込んだ伝染病の蔓延で大量に殺戮したのである。共存を図ろうとの先住民からの動きもあったが、多くの場合無視され、土地を追われた。現在では居留地を与えられ、同情の目を向けられるようになっているが、奴隷としてアフリカから連れてこられた先祖を持つ人々より一層貧困に苦しんでいる。

このようにアメリカは世界最先端技術の文明と最高峰の経済を誇る明色と、血塗られた歴史でなる暗色の混ぜ合わせで出来上がった鈍色の世界であった。その他の西洋諸国も大航海時代以降、フロンティアを目指して植民地争奪競争を繰り広げたのは歴史が示すとおりである。そして、日本もその後を追った。西欧諸国も中国（数百万人を虐殺した歴史を持っている）も日本も醜い時代、醜い世界であった。

　今、フロンティアは宇宙に向かっている。そして、フロンティアを喪失した地球はキャリングキャパシティーを遙かに超える〈人口Ｘ文明発達Ｘ資本主義の暴走〉の反動により自然環境の悪化を余儀なくされている。少ない土地、少ない資源を巡って今も尚醜い争いを行っている。前著では悪化を続ける地球の持続性を逆転させ、世界平和を達成する新世界の実現は日本の役割だとした。しかし、日本が直接世界を変えるわけではない。日本の役割は国連改革の旗手となることである。戦後、平和を実現し、世界に貢献するようになった日本を世界は高く評価している。今なら日本は国際平和を憲章で謳った国連を本来の形に改革する可能性が残されている。

　一方、前著で示した新世界が明色の持続的な地球であるなら、新世界実現に当たっての暗い部分である阻害要因と反動も明確にする必要がある。更に、その阻害要因への対処も早期に打ち立てておかねばならない。本書は特に暗色に焦点を当て、その事前対策、事後対策といった危機管理を目指す。

　植民地時代のような、武器で他地域の人々を殺戮し、その土地を奪うという事態は現代の情勢下では決して起こらないと確信していた矢先、ウクライナへの侵略戦争が始まった。なんと言うことであろう。第二次世界大戦を教訓に国際の平和実現のため設立された国際連合は張り子の虎であった。全く責任を果たせない。本部は正に新世界（と言われた国）に建設された。多くの国連職員が働いているが、ウクライナ侵略に対し、全員指をくわえて傍観するだけだ。諸悪の根元は世界が知るところである。つまりＶｅｔｏ、５大国が保有する拒否権だ。何故世界はこんなに明らかな、単純な問題を解決できないのであろうか。

　このままだと第二第三のウクライナ侵略は発生するであろう。それどころか、核兵器の使用さえも現実味を帯びてきた。果たして22世紀の新世界は存在しているのであろうか。文明、技術が更に発達し、すばらしい世界になるのだろうか。22世紀新世界の鈍色は確実に暗色が多くなり、暗い未来の予想は膨らむばかりだ。

1―3　22世紀の日本

毎週末行われるＮＨＫ囲碁トーナメントは著者の楽しみの一つだ。その囲碁のスタイルがこの2・3年で大きく変わった。ＡＩの影響である。特に布石が変わった。以前悪手と言われていた手が、今では当たり前になった。戦う彼らは日本囲碁界のトップである。プロ中のプロがＡＩの判断に従う時代となったのである。この事実は、22世紀の人間対ＡＩの有り様を先取りしていると言える。生活の多くでＡＩは無くてはならない存在となっているであろう。今晩の献立も、そのための必要な材料の購入も、相応しい大学も、職業選択も一切ＡＩが決めてくれるであろう。

携帯、スマホの普及は今更言うまでもないが、そのスマホにより進化したＡＩが搭載されるのも遠い将来ではあるまい。スマホのディスプレイに現れるバーチャル・ワールドが拡大し、情報の氾濫の中、ＡＩが情報の選択も担うようになろう。多くの決定をＡＩに委ね、気が付かないうちに自ら決定する必要が少なくなっている。人は自分で情報を求めたり、多くの情報を総合して自分で考えたりする習慣を忘れ、ひたすら手にするスマホに従った生活を送るようになるであろう。子供たちがこのような社会で育っていけば、現実社会、リアル・ワールドの中での道徳観、価値観、美意識、等への関心は限りなく薄れていくことが想像される。その徴候ではないだろうか。日本の組織、企業、個人から道徳観・倫理観の吟味が感じられなくなってきた。武士道と正直を誇ったかつての日本人は地方の田舎に追いやられているように思える。

しかし、考えてみればＡＩやスマホの普及以前から道徳観・倫理観の低下は始まっていたのではないか。その画期は先の大戦後であり、それ以後日本人は大きく転向したのではなかったろうか。もちろん資本主義、自由主義、個人主義等の急速な普及の影響も大きいであろうが、戦争、あるいは敗戦が大きな契機になったのは確かだ。あの大戦で、あるいは戦後、何があったのだろうか。敗戦で自信を失ったわけではあるまい。そう言えば組織（例：読売新聞）や個人による戦争総括は見られるが、日本は国（政府）としての大戦の総括を行っていない。先の大戦を総括すること、そしてその中で日本人の本質と、変質した日本人の性格、価値観等を見直す冷静さが必要であろう。

世界は日本を高く評価しており、今なら国連改革の旗手になれると前項で述べたが、果たしてこの評価が本物で、かつ今後とも高い評価が得られ続けるであろうか。今回の新型コロナの世界的流行に当たり、先進国のみならず中国、インド等もワクチンの製造をいち早く行い、対処し始めたが、日本だけは取り残されてしまった。生産性も先進国中ほとんど最下位となってしまったように、経済分野のみならず科学分野でも大きく差が開き始めた。日本を見直し、そして立て直しに全力を挙げない限り、日本は没落の一途をたどり、22世紀には三等国に成り下がり、他国から経済援助を受ける側に立っていることであろう。

もちろん現在暗色に見える経済、科学分野の未来も、今後の巻き返しは十分視野に入っているし、日本には他国の追随を許さない歴史と伝統があり、明色に彩られた未来もほの見える。特に顕著な明色は伝統芸能・芸術等であり、地方の伝統行事を含む文化の奥行きはますます深まるばかりである。これらの集大成は日本の自然とヒトとの関わりの中に現実化されている。「ふるさと」と総称される、深奥幽玄の自然、田園地帯、海岸、河川、里山、里地等の美しい心に残る風景、景観である。これら自然の中にヒトの働きで住居、橋、堰、貯水池、寺社、取り巻く杜、並木、等々が配置され、見事に自然との融和を人々に感じさせる。自然の中に溶け込んだ生活、あるいは生活の中に取り込んだ自然、何れの表現にしろ、「和」が基調となっている。夕焼けを背景とした山裾にある農家の庭先から煙が立ち上って、積み重なってきた先祖代々の生活が一幅の絵となっている。その景色こそ「ふるさと」と呼ぶに相応しい。

一方、西洋は区画され、整然と都市農村が美しく配置されている。歴史的な建造物でなる都市は荘厳な雰囲気を醸しだし、農村部は不純な広告等の構造物を廃したどこまでも続く畑のうねりが美しい。人間が自然を圧倒し、支配下に置いた勝利の結果である。正に西洋の価値観、美意識が体現され、そこは彼らの「ふるさと」なのであろう。

22世紀までこれらの「ふるさと」を持続させるための最大の条件は「平和」である。日本単独の平和ではない。アジア諸国の、世界の平和が実現してこそ日本の「ふるさと」は守られる。日本が世界の平和に貢献する時、初めて22世紀の日本は明色が増え、鈍色も明るく輝き出すであろう。唐突ではあるが、「何としても国連の機能を発揮させ、世界平和を守る機関となってほしい。」

次章からは著者なりに戦争の総括、日本人の本質に関わるベネディクトの「菊と刀」を俎上に載せ、日本人の国民性・道徳観・価値観等を再考してみる。その過程でそれらの実態あるいは変動が少しでも浮き彫りになり、日本が完全に立ち直り世界の評価も盤石となれば幸いである。

第二章　日本の立て直し

2―1　戦争の総括

1．総括の必要性

著者が協力隊員として派遣されていたフィリピンでの出来事である。ある日、下宿先の小学低学年の子供が学校から帰ってきて、私の顔を見つつ母親の袖を引っ張り、何事か訴えた。母親はやはり私の顔を見つつ苦笑いを浮かべて子供に何か説明しているようであった。それは学校で戦争中の出来事を教える授業のことであった。その話は、日本の兵隊が乳児を空中に放り投げ、落ちてくるところを銃剣で突き刺す、という内容であった。著者は本当に日本人がこのような残酷な行為を行うのであろうか、という疑問を持ったが、フィリピンの学校でこのように教えているのは事実であった。戦後25年目のことである。

その後、半世紀が経過したが、この出来事をフィリピン人は忘れただろうか。否、歴史に書き記されて残っているに違いない。翻って、日本の子供たちはこの事実、フィリピンで日本人の残虐さが歴史教科書で教え継がれている、を知っているだろうか。実際にフィリピンで日本兵が残虐な行為を行った事実は記録に残っているが、どれだけの日本人がこの事実を心の痛みとして記憶しているだろうか。フィリピンとは現在良好な関係を築いている。戦後、「過去を共有した上での和解」がなされたのであるが、現在日本人もその過去を共有して友好関係を継続していく必要があろう。

一方、南京事件は日本人の喉に刺さった骨だ。30万人の一般市民が虐殺された、という南京裁判の結果はしっかり石に刻まれて残っているが、日本側の理解は多様のままだ。多くの研究と認識が書籍化されている反面、政府は公式には「事実の確認は困難」として未だに統一的な見解は発表していない。因みに東京裁判では10万人以上、とされている。一方、殺戮が行われた事実は疑いないとのいくつかの証拠（証言）が残されている（付記―1参照）。

これら日本人に対する海外、特に近隣諸国でのネガティブな歴史認識からくる憎悪は、戦後の裁判の結果と日本の努力、あるいは戦後補償の実績によりある程度緩和されたかに思われる。しかし、特に隣国には未だにその歴史認識の残滓が人々の心のひだに刻みつけられており、外交関係にまで影響してその根の深さを思い知らされる。戦時中の民間企業による徴用工（強制労働）に対しては裁判所に訴訟されており、未だに解決していない（令和5年4月現在）。

これらを完全にぬぐい去るためには、戦時中の出来事、事実を全て資料等で再確認し、日本国としての共通した認識・総括をする作業が不可欠だ。つまり、東京裁判及びBC級裁判の結果を無条件に受け容れたが、この裁定を最終的な日本の見解とするのか、独自の総括を打ち出すのか明確にせねばならない。この点がうやむやであれば、後述するＷＧＩＰ（戦争責罪周知徹底計画）の呪縛から抜け出ることは叶わないだろう。

終戦を境に日本人が変わったように思われる。しかし、終戦直後の日本人は今のような「自虐意識」を全く持たず、誇りさえ保持していた。占領軍の（昭和20年11月の）ＧＨＱ月報、には「日本人の間には、戦争贖罪（しょくざい）意識が全くといっていいほど存在せず・・・道徳的過失も全くなかった。日本の敗北は、産業と科学の劣勢と原爆のゆえであるという信念が行き渡っていた」とのことだ。そのことがＷＧＩＰ導入の契機となった。つまり、日本人を洗脳しようとの遠大なプログラムであった。もちろん、アメリカに都合の悪い事実は伏せる（公表しない）ということだ。

ＷＧＩＰ導入が画期となり、日本人は誇り、正義感、筋の通った精神の心棒等を徐々に喪失し始めたのである。日本人が日本人でなくなっていき、西洋人、特にアメリカ人の道徳観、価値観を崇めるようになった。それらの経緯と影響等については次節で扱うが、本来の日本人を取り戻すためには、苦渋を伴うものの彼の大戦を振り返ってみる必要がある。

ここでは戦争の対外責任に絞って論議する。当時の政府、軍部の国民に対する責任、天皇の責任問題、敗戦となった要因、等には触れない。対外責任は大きく対西欧諸国（国際社会）と対アジア近隣諸国であるが、前者は主に戦争犯罪とその犯罪に対する謝罪であり、謝罪の一環として賠償がある。目を転じてドイツのケースを見てみよう。ニュルンベルグ裁判を紐解くまでもなく、裁かれたのはナチスドイツであり、対象のほとんどはホロコーストである。戦争犯罪については国際法廷で裁くことをドイツが拒否し、独自にライプツィヒ戦争犯罪裁判で行われている。77年前、戦争自体は否定されていなかったのはハーグ陸戦条約からも明らかである。単に宣戦布告、戦闘員の定義、使用不可の兵器等に関する国際的な約束事であった。従って、当書では77年前の道徳観に照らし合わせた主にアジア近隣諸国に対する我が国の責任を再度検証する。

また、昭和戦争は明治維新以後の歴史の延長線上で勃発したため、今次大戦のみを切り離して論議するのは不可能であり誤った判断を導く恐れがある。明治維新以後、日本はどこで間違ったのか、あるいは間違ってなかったのか、が問われる。日本に対する世界の信頼を回復させ、国連改革案に賛同してもらうためには、避けて通れない道程である。

2. 明治以降終戦までの経緯

（1）ペリーにより鎖国をこじ開けられた日本は、明治維新直後から猛烈な勢いで西洋を取り込み始め、その過程で富国強兵の名の下、西洋の帝国主義模倣の途を選択した。

西洋は中世に大航海時代を迎え、ポルトガル、スペインを先導者として世界各地に探検航海に出始めた。日本には種子島に漂着したポルトガル人が記録に残る最初の西洋人の日本上陸であった。彼らは、銃や時計、書物等の物を携えてきたが、表向きの目的はカトリック教の布教であり、当然宣教師を先兵とした交易の拡大と究極的に支配下に置く植民地化を目論んでいた。当初、織田信長、豊臣秀吉等に優遇されていたが、秀吉はポルトガル人による日本人の奴隷化や度を越した布教活動に激怒し、遂に彼らを排斥する決断をした。徳川時代に入り、外国との交易は長崎平戸の出島に限り、オランダと中国のみに商行為の許可を与えた。１６３０年代には日本人の海外渡航も禁止し、本格的な鎖国時代が始まった。

２６０年の平穏な江戸時代を経てきた日本の喉元にナイフを突き付けた西洋人はアメリカのペリー提督である。１８５３年、浦賀沖に停泊した４隻の艦隊は空砲を江戸に向かって轟かせ、ペリーは幕府の要人に大声で威嚇し、開国を強要した。鬼のような形相であったと言う。ペリーの二度目の来訪時には遂に不平等な日米和親条約が締結されている史実をみても、欧米人特有の狡猾さ、マキャベリズムがうかがえる。ペリーに続き、ハリスがやはり不平等な日米修好通商条約の調印を勝ち取った。このような背景および西洋の覇権主義を嫌って西欧白人世界を排撃する攘夷運動が始まったのである。また、アメリカに対する戦争への道がこの時はっきりと起工されたと言える。

一方、馬関戦争、薩英戦争の経験で西洋と日本の武力（武器）と文明（近代化）の圧倒的な差を思い知り、攘夷の思想は脆くも砕け散ってしまった。明治維新を経て日本が目指したのは「富国強兵」であったのは当然の選択であろう。西洋を徹底的に嫌い排除してきた経緯から一転、その文明、技術力、軍事力を取り込む方針に転換したのである。いわゆる文明開化であるが、西洋を取り込む過程で日本本来の価値、芸術等が損なわれる世の中になってきたため、二律背反の心理的葛藤に陥ったのも確かである。西洋の植民地にならず日本の伝統を守るため、そして、アジアの独立を維持するためにも西洋の一員とならねばならない、という壮大な矛盾を抱え込んだのである。ヒストリカル・イフを考えても、この時に取りうる国策は西洋化以外にはあり得ない。また、それを成就するためにも「殖産興業」による経済発展は必須であった。

そして、日本は未曾有の勢いで西洋の文明、技術、知識を取り入れ始め、社会、経済、生活、学問等の欧化を国を挙げて取り組み始めた。それにも関わらず、天皇を頂いた新国家を長期的にどのような体制にするかしばらくは暗中模索が続いた。一方、西洋化の動きに歯止めをかけようとしたのは日本の特質を忘れてはならないとする知識人たちで、彼等は「和魂洋才」とのスローガンを掲げてはみたものの、商工業の近代化と発展は西洋追随の途を外れることはあり得なかった。

明治の初期、幕府が取り結んだ不平等条約を改正する目的も兼ねて岩倉ミッション（岩倉具視特命全権大使）がアメリカに派遣された。訪問時、不平等条約を改正しようと働きかけたが、全権委任状を持っていなかったため一蹴された。そのため、伊藤と大久保が急いで帰国し、天皇から委任状を受け取って再びアメリカに渡ったが、アメリカは交渉さえも拒否してきた。つまり、力の無さの不甲斐なさを痛感した。力を付けるための富国強兵、殖産興業は、不平等条約を改正するためにも必要不可欠であった。

（2）その過程で天皇が武装化され、天皇は大元帥として統帥権をつかさどり、陸軍は参謀本部、海軍は軍令部がこれを補佐することとなった。

江戸時代の数百年間天皇は権威を保持し続けたものの権力とは一切無縁であった。明治時代に入り、新政府に担ぎ出された天皇は一挙にその方向を転じたのである。まず１８８２（明治15）年「軍人直喩」が出され、軍は天皇の軍隊であることが明示された。また、１８８５年発布された大日本帝国憲法第十一条で天皇は大元帥として統帥権を、つまり軍事に関する大権をつかさどり、陸軍は参謀本部、海軍は軍令部がこれを補佐することとなった。国の形を決める憲法は民間からも多くの提案が寄せられている。この頃に採りうる国家像としては保阪によれば五つに要約される（付記―２参照）。日本はクロスロードに差し掛かったが、結果的には戦争も政治手段とする西洋型の帝国主義国家を目指すところとなった。

ところで、新しく制定された憲法上は軍事には議会や政府が介入できない、と言う規定はなかった。議会や政府には民権派や非軍人が参加しており、軍事への彼らの介入が予想された。そこで、外部からの介入を阻止したい軍部は統帥権を盾に、それらの介入を排除しようとした。しかし、軍部の利益と国家全体の利益は常に同じではない。前者を優先すると国全体が危機に瀕することになりかねない。伊藤博文や山縣有朋ら維新の元勲たちが健在な頃は、政治と軍事の両方に睨みをきかすことができ、政治と軍事のバランス調整が可能であった。元勲が権力の表舞台から消えると、組織と組織の対立が表面化してきた。政治の制御が利かなくなったのである。日本は軍事大国を目指してきたが、それにしても軍部は余りにも政治に関与し過ぎた感がある。内閣制度が確立した１８８５年から終戦時、１９４５年までの60年間に43内閣が成立しており、重複を差し引けば30人が総理大臣となっている。驚くことにその内15人が軍人であった。軍人総理大臣が統治したのは29年3ヶ月でほぼ半分を占める。この事実のように軍国の途をまっしぐらに突っ走っていたことが太平洋戦争に繋がる大きな原因の一つである。

次いで重要な動きとして、明治23年、山縣有朋首相は第一回帝国議会の施政方針演説の中で「主権線」と「利益線」の概念を打ち出した。主権線は国境であり、利益線は「主権線の安危に密着の関係のある区域」ということで、この時点では朝鮮半島を含む。この事実が日清戦争への伏線となった。山縣に主権線・利益線の概念を明示的に教えたのはドイツ人社会学者のローレンツ・フォン・シュタインであった。この利益線の背景には迫り来るロシアの南下脅威が存在していたのは歴史上の事実である。

ところで天皇の立場、権威が「責任」という俗人的な次元からかけ離れており、組織体系の中に入りきらず、あいまいのままであった。平時には障害とならないこの制度は、戦時、特に緊急の決断を要する時は桎梏となり、それらのあいまいさに付け込んで輔弼すべき陸海軍が主体的な役割を担うようになってきた。つまり、軍部は統帥権を自己都合により解釈し、作戦を練り、戦闘に突き進んでいった。また、元老は顧問団と位置付けられるものの、しばし、その発言が責任を伴わないまま組織の意思決定に反映されていた。結果的に戦争責任が当初からあいまいな組織体制のまま、戦争に向かっていったのである。

一方、天皇は個人としての「睦仁」と、帝国主義における君主としての「明治天皇」の役目の板挟みとなっていた。個人の天皇は日清戦争にも日露戦争にも反対であったのだ。しかし、明治天皇としての役割、大元帥の役割として両大戦を是認し、推進せざるを得なかった。

この体制や戦争に国民すべてが納得していたわけでは、当然ない。「戦争廃止論」を唱えた内村鑑三や幸徳秋水、堺利彦等も戦争に反対していた。一方、「平民主義」の立場をとった徳富蘇峰は日清戦争後の三国干渉の結果に衝撃を受け、戦争を肯定する意見に変節した。蘇峰は国際社会の現実に目覚め、国は力を付けて強くならねばならないとの国権論者に変貌したのである。

（３）　日清・日露戦争、それに続く第一次世界大戦を勝ち進んだが、ロシアの日本侵略の脅威は続いていた。その南下を防ごうと大陸に進出したが、内地における人口増と狭小な耕地面積が満洲の広大な土地に魅せられていた事実も背景の一つである。

力を付けてきた日本にとっての気掛かりは、ロシアの南下と西洋諸国（米・英・仏・蘭・独）の中国（清国）への干渉であった。そして、日本への防波堤に期待される朝鮮は中国の属国であり、放置すればロシアの南下を助長しかねない。紆余曲折を経て日清戦争に勝利し、中国から朝鮮の独立を勝ち取ることに成功した。この頃から日本の方向性が問われ始めたが（付記―２参照）、結果的には欧米列強に倣う帝国主義国家を目指すことになった。また、ロシアの南下にも対抗し、日露戦争にも勝利した。この戦争で莫大な借金を抱えた日本は、辛うじて勝ったロシアから賠償金を取れず、黒竜会の内田良平やマスコミに煽られた国民は暴動を起こした（日比谷焼打ち事件）。この勝利が薄氷を踏む結果であり、もはや戦争を継続する資金が底をついていた事実を公表すれば、ロシアの反撃は必至であり、国民にも事実を知らせる選択肢はなかったと言える。一方、それまでの軍部は国際法をまじめに遵守し、独走の気配もなかった。欧米諸国も武士道と呼ぶにふさわしい日本の振る舞いを高く評価していた。

一方、日本の人口が日本の国土のみで生産できる食糧では不足するような状況、つまりキャリングキャパシティー（環境包容力）を超えたことも大陸進出の一動機である。１８７２（明治５）年の日本の総人口は、３４８０万人であった。これは江戸時代から連綿と続けられていた食糧自給可能な人口上限である。その後、１９０４（明治37）年には、既に４６１３万人に達していた。１９１２（明治45）年に、５０００万人を超え、１９３６（昭和11）年には、明治初期の人口の倍となる６９２５万人にまで急増したのである。必然的に食料の倍増が必要となり、狭小な農地しかない日本は海外に農地を求めざるを得なくなった。二度の戦争の結果、支配下に置いた台湾と朝鮮からの食糧、特にコメの輸入が増加し、一息ついたものの、内地農村は特に昭和恐慌で疲弊し、農家の二・三男にとって更に厳しい社会状況となった。

そのような折、加藤完治らと屯田兵移民による満州国維持と対ソ戦兵站地の形成を目指す関東軍により、いわゆる旧「満州国」（中国東北部）・内モンゴル地区に彼らを入植者として送り込む案が国策となった。１９３１年（昭和６年）に起きた満州事変から始まったこの施策は満蒙開拓団として太平洋戦争敗戦時に至るまで約27万人が送り込まれた。開拓民が入植した土地はその６割が漢人や朝鮮人の耕作していた既耕地を買収した農地であり、開拓地と言えない土地も少なくなかった。大陸への進出が第二次世界大戦に向かう大きな岐路であった。

（４）　大正末期の一時期、軍縮や大正デモクラシーの影響で軍部の勢いが衰えたが、昭和に入り青年将校等が天皇親政を金科玉条にテロやクーデターを企て、軍部の過激な独走が開始された。その延長線上で泥沼の日中戦争を開始し、勝機の見通しもないまま太平洋戦争へと突き進んでいった。軍部の好戦性の他、権謀術数と諜報活動のない外交、議会の非力、マスコミの煽動とそれに踊らされた国民も昭和戦争開始の間接的な要因であ

る。

第一次世界大戦に疲弊した西洋は（付記―5参照）、１９２０年1月国際連盟を設立し１９２１年11月から始まったワシントン会議等で軍縮が討議された。日本もこの頃軍縮が進み、「山梨軍縮」の後、加藤高明内閣時には更に大規模な四個師団の廃止が決定された。大正デモクラシーの潮流も大きなうねりとなっており、軍人にとっては肩身の狭い時代であったと言える。共産党もこの時代に結党され、活動が活発になってきた。共産主義は日本の為政者にとって大きな脅威であり、天皇制を否定するその主義は日本の国体と完全に相対するものであった。取り分け軍部は、天皇の「統帥権」を盾として内閣や国会から介入されない存在であったがゆえに、なおさら共産主義への脅威は大きかった（日本の地下水脈、文藝春秋、保坂正康、２０２１年2月号）。しかし、軍部、特に青年将校達にはこれらの社会の動き、思想に対抗する独自の思想がなかったため、大川周明や北一輝、橘孝三郎らの思想に傾いていき、自分たちの拠り所とした。外部から借りた思想で理論武装した軍は武力による独善的な社会変革を試みるようになって行く。その流れの中で昭和の始め頃、主に参謀本部の若手佐官や尉官からなる「桜会」が結成された。暴力革命を志向した組織である同会の青年将校達は何度かテロ、クーデターを企てたが、未遂に終わる。その目指すところは天皇親政国家であった。「日本は天皇陛下のお言葉、天皇陛下のご意思によって動く国で、天皇陛下のためにわれわれが行動するのだ」と言う論理であった。「天皇のため」とは天皇自身が望んだことではなく、あくまで軍部が勝手に考えた価値基準によるものである、ということだ。そして、5・15事件、2・26事件へと繋がっていく。彼らの根底にあったのは「軍が全てに優先する」「軍の組織原理イコール国益」という独善的な思い込みであった。

そのような軍の独善と先走りが満州事変勃発の表向きの切掛けである。具体的には満洲事変における関東軍の暴走と誤断を招いた中心人物である石原莞爾（関東軍参謀）や板垣征四郎（関東軍参謀）の責任は大きい。マッカーサーが最も恐れたという石原は早くから（謀略）計画を練り、周到な準備を重ねてきた。もっとも、彼は後の日支事変には非拡大方針を述べ、抵抗を示したが、聞き入れられず左遷されている。

この軍部、特に陸軍の発言権の極大化がアメリカとの交渉に大きな影響を与えた。また、陸軍による南部仏印への進駐もアメリカの態度を硬化させ、アメリカ国内の日本資産の凍結、クズ鉄輸出の停止、石油輸出の停止、という日本への致命的な経済制裁に結び付いて行く。実はアメリカは英国と共に陰で蒋介石に武器や資源を供給しており、その調達ルートが援蒋ルートと呼ばれ南部仏印を通っていた。日本軍はこのルート殲滅とその先の蘭印（インドネシア）の石油調達も目的としていたのである。

一方、その南部仏印のみならず中国からの撤退まで要求してきたハル・ノートを最後通牒だと判断し、それまで交渉続行を主張してきた時の首相、東条英機も開戦に大きく傾いていった。陸軍大臣時代は戦争に強硬派であった彼は首相になって後は天皇の意図を組んでいたのである。

戦争に引きずり出す挑発であったのは間違いないにしても、ハル・ノートの受諾あるいは他の選択肢を提示することは本当に不可能だったのか。完全に後付の考えでしかないが、日本も植民地争奪という西欧と同じ土俵に上がっていたという事実は否定できないものの、戦争の大義名分を世界に発信し、アメリカ側から開戦させるように挑発する、という選択肢もあったのではないか。例えば、「朝鮮や台湾での開発や学校建設（帝国大学まで建設している）を示し、西欧諸国の植民地政策と異なり、日本は大東亜共栄圏設立を目指しアジア諸国の独立を最終目的とする。」そのため、アメリカにはフィリピンを、英国にはマレー半島を、フランスにはインドシナ半島を、オランダにはインドネシアを、それぞれ放棄させそれぞれの地域の独立を保障するよう要求する。日本は開戦2年後に近隣諸国代表を招いてこの案に近い大東亜共栄圏設立を議題とした大会議を開催したが、いかにも遅かった感はぬぐえず残念である。

他方、そのハル・ノートは財務次官が下書きを作成した事実が確認されている。このハリー・ホワイト次官がコミンテルン（国際共産党）のスパイであったのは間違いないようで、ソ連共産党、スターリン、としては日本を挑発し、アメリカとの戦争に駆り立てようとの謀略の一環であった事実は銘記すべきだ。加えて指摘すべきは蒋介石の諜報活動等による日米戦争勃発への工作である。チャーチルが熱烈にアメリカと日本との戦争を望んでいた事実は周知の通りだ。戦争は絶対に起こさず、国民を戦場には送らないと約束して大統領になったルーズベルトは、実は日本が暴発するような施策を施し、開戦の契機を待ち望んでいたとの事実も確認されている。事実、日清戦争直後にアメリカは仮想敵国を日本とした「オレンジ計画」を策定しており、計画は状況の変化と共に書き直されていたという。日本は易々と米国・ソ連・中国・英国の思惑通りの反応を示し、太平洋戦争に引きずり込まれたのである。

戦争に走ったいま一つの要素はドイツである。昭和15年5月10日、欧州戦線でヒトラー率いるナチス・ドイツ軍が「西部大攻勢」に乗り出し、鮮やかな電撃戦で英仏連合軍を壊滅させ、二週間余りでダンケルクの港まで追い詰めた。しかし、この三カ月後にはドイツ空軍はロンドン上空で叩きのめされたが、その時日本はすでに三国同盟締結を決定していたのである。ドイツとの同盟は日本国の政治の失敗である。

戦争は真珠湾の奇襲作戦で開始される一時間前、マレーシアのコタバル海岸に陸軍が上陸した時に始まる。以後、東南アジア諸国には住民との意思疎通のないまま進出し、戦争の惨禍に巻き込んでしまったのである。多くの現地住民が犠牲になる中、彼らにとっては日本が始めた侵略戦争と考えたとしても不思議はない。

さて、当時民間にも戦争反対を訴える識者はいた。非戦論者である内村鑑三等は「世界を挙げて軍備を撤去し、戦争を禁絶せんことを期す」と謳っている。あの当時、無防備、無抵抗で欧米の帝国主義から日本を守れたのだろうか。欧米諸国がアジアの国から非戦論、非植民地化を訴えられて、引き上げていただろうと考える人は皆無であろう。世界に性善説は少数派だ。アジアの数ヶ国以外はほとんどが凸型の国々であり、特に欧米諸国は抜きんでている。現在でさえも、軍事力は国の安全を守る大きな柱であり、外交は露払い程度の役割しか担っていない。

ところで、昭和16年11月15日の大本営政府連絡会議で「如何に戦争を終結するか」について議論され、四つのシナリオが挙げられている。①初期作戦が成功し、自給の道を確保し長期戦の目処が立ったとき　②蒋介石が屈服したとき　③独ソ戦でドイツの勝利で終わったとき　④ドイツのイギリス上陸が成功しイギリスが和を乞うたとき。このように半分はドイツの勝利、と言う他力本願に頼った開戦と終結戦略ではあった。（以上、あの戦争になぜ負けたのか、文芸春秋、２００６年）

（5）　しかし、明治維新以来、四方から迫った西洋とロシアの植民地（領土）獲得競争の脅威と、アメリカの挑発に国の存続危機を感じて開始した日・米英戦争は自存自衛の抵抗であった。西洋白人社会の人種差別を基底とした覇権主義、更にコミンテルンと中国国民党の謀略への反撃とも言えよう。これらは最も深刻な国家的脅威であり戦争を惹起した根元的な要因である。

人種差別に対して、第一次大戦後のパリ講和会議で、日本代表は国際連盟規約の作成に当たり、「諸国民の平等及び公正な待遇」を盛り込むことを強く要請した。投票による採否の結果は、賛成が十一票に対し、反対は二分の一以下のわずか五票にすぎなかった。しかし、議長であったウィルソン大統領は、「全会一致に至らぬゆえ、本件は不成立と認む」という一方的な裁断を行った。日本による西洋の人種差別に対する歴史的なチャレンジの表明であったが、狡猾な白人社会はその提案を一蹴した。

このような白人による人種差別に対しては日本国民も苛立ちを隠さず、各種の国際的な取り決め等に対して不平等感を募らせていた。マスコミ、特に新聞は売り上げに直結するように、国民の苛立ちを代弁し、時に挑発するような記事を発表した。アメリカとの外交交渉に当たっても、軍部のみでなく、国民も反アメリカ、反白人の気分が高まっていた。そのため、真珠湾攻撃で戦争の火ぶたが切って落とされた時、大多数の国民も支持し、その後の戦時中の銃後の活動も「七生報国」の精神で一丸となって当たったのである。やむをえぬ自存自衛の戦いであったとマッカーサーも後に認め、アメリカの国会で証言している。極東軍事裁判においても、パール判事等は日本の開戦に理解を示し、全被告の無罪を主張した。

一方、特にアメリカから非難されている日本の海外における領土と軍事活動に関して興味ある見解がある。およそ20年前に遡る大正10年、石橋湛山は新聞論説において世論の攻撃的な動きに水を差している（付記―3参照）。彼は台湾、満州、朝鮮等を捨て、小さな日本で慎ましく生活して西洋諸国に対する模範を示すのが最善だとした。更に論文「大日本主義の幻想」を世に出し、外への拡張を続けると国家は滅びる、と言明した。彼は性善説に則っており、日本が範を示せば西洋を感化できると楽観していた。西洋には確かに立派な紳士も存在する一方、文化、価値観の違いは大きく、日本のやり方に感銘を受けて国家の方針を転換するような西洋諸国の存在は考えにくい。クリスチャニズムとマキアヴェリズムの両方を保持し、状況に応じて使い分ける、悪く言えば二枚舌が特に外交では発揮されていた。つまり当時、日本が台湾、満州、朝鮮等を捨てたとしても、西洋が追随して彼らの植民地を放棄していたとは全く考えられないどころか、日本さえも毒牙の餌食にされていた可能性も考えられる。

また、ハル・ノートが日本に要求した通り、日本が南部仏印、中国、満洲から撤退していたとしても、その後日本が米国等と対等に外交交渉できるような世界情勢になったかどうかは疑わしい。佐藤も「あの戦争を避けるためにアメリカと日本が妥協を繰り返せば、結局、日本はアメリカの保護国、準植民地となる運命を免れなかったというのが実態ではないか…。」とのコメントを「日米開戦の真実」で述べている。

軍部、特に関東軍が暴走したのは間違いないが、既に大陸に進出していた日本は、中国の経済に食い込もうとする他の西洋諸国、アメリカ、ロシア等とは何れかの時に衝突する運命の途を辿り始めていたと言えよう。

まずアメリカの鉄道王ハリマン（付記―6）が南満州鉄道（満鉄）の買収に乗り出してきたのである。1905年8月下旬秘かに来朝し、桂首相と交渉の末、遂に満鉄及び満鉄に属する鉱山その他各種事業の権利の半ばを、ハリマンの支配するシンジケートに譲渡し、相当する代金を受け取るという覚書に署名した。仮調印とはいえ首相の決断であるため、ハリマンは意気揚々と覚書を入手したその日の午後横浜から船で帰国の途に就いた。ところが、その三日後にポーツマス条約（付記―11）を携えて帰朝した小村寿太郎全権がその覚書に猛反対し、遂にこの決定を覆してしまったのである。

アメリカのルーズベルトの失望は如何ほどであったろうか。ポーツマス条約の斡旋をするまで彼は日本に好意を抱いてきたのであるが、この後から次第に日本をもってアメリカの東洋進出を遮る大いなる障碍であると考えはじめた。つまり、この時より日本に対する対抗意識が芽生えてきて、日本の満州経営に横槍を入れ始めたのである。１９０７年にはイギリスのボーリング商会が満鉄と並行する鉄道路線の敷設認可を受けると、当時奉天のアメリカ総領事のスレートはこの計画に割り込んできた。この計画が実行されれば満鉄は農産物の流通に大打撃を受けるため、「満鉄の付近及び並行するいかなる鉄道も敷設しない」、という支那との取り決めを楯に、猛烈にこの計画に抗議し、遂にその許可を取り消させた。このような出来事が太平洋戦争に繋がることとなる。

太平洋戦争はアメリカの対日経済制裁が明示的には最大の動機である。「その経済制裁は例え自殺行為であると分かっていても日本に戦争を余儀なくさせるものであり、誇りのある国ならとても忍耐できるものではない。」とのフーバー前大統領の発言にマッカーサーは同意している。ルーズベルト大統領は日本に最初の一撃を撃たせるように仕向けるためにこの経済制裁を行ったのである。ところで、財務省のハリー・デクスター・ホワイト、国務省のアルジャー・ヒスは共に米国内にいる多くのソ連スパイの一員で、ハル国務長官やルーズベルト大統領に対し日本への経済制裁や戦争への挑発を執拗に働きかけた事実が背景にある。大統領は真珠湾攻撃を事前に察知しながら、同湾に停泊する太平洋艦隊司令官に伝えず、彼らを生贄の羊（スケープゴート）として、アメリカ世論に訴え参戦支持を得たのである。日本はルーズベルトの目論見を遥かに超える効果的な演出を行ったといえる。

（６）　開戦後、大本営は彼我の圧倒的な戦力差を無視した非現実的戦略に突っ走り、軍部は天皇制を大義名分とし、精神論を口実とした人命軽視の戦術を繰り返した。

大本営陸軍参謀本部作戦課長に服部卓四郎元陸軍大佐という人物がいた。彼は日本陸軍全体の作戦指揮の中心的役割を担っており、何百万人の日本軍隊の死活を左右する実質的役割を担っていた。もちろん、ガダルカナル戦、ニューギニア戦も、彼らの作戦発起とその指導の下に行われた。それらの作戦において、日本兵たちは、日露戦争時代の装備のまま前線に送られ、上陸と同時に補給は断たれた。弾丸も食料も医薬品もない密林に置き去りにされたのである。ジャングルの中を右往左往したあげく、みじめに餓死し、あるいは病死してのたれ死んでいったのである。その他の作戦においてももっとも許されない戦力の逐次投入を繰り返し、多くの兵隊の無駄な犠牲を強いることとなったのは周知の事実である。ジャングルで餓死していった兵士が最も憎んだのは敵性外人ではなく、この作戦課長のようなでたらめな作戦と非現実的な兵站計画を実施した参謀本部の上官たちである。服部大佐は終戦後、それらの戦略の失敗に何ら責任を問われず、復員局の資料整理部長兼ＧＨＱ歴史課員となっている。

軍の参謀本部（陸軍）、軍令部（海軍）のみでなく、現地に赴いた司令官等にも非常識、非現実的と言える作戦を立案し、その推進に執心して多くの人命を奪ったケースがある。一例はビルマのインパール作戦である。牟田口廉也陸軍第十五軍司令官は「無謀な作戦」を実施したことで有名である。当作戦は多くの反対意見を無視して強行した牟田口司令官が、兵站を無視し精神論を重視した杜撰な作戦により、多くの犠牲を出して歴史的敗北を喫した。犠牲者は日本軍人に止まらず、戦争捕虜や連行された東南アジアの労働者にまで及んだ。

読売新聞戦争責任検証委員会による「検証　戦争責任　Ⅰ＆Ⅱ」によれば、戦争責任者を各局面ごとに検証し、リストアップしている（付記―４）。飯田進はこれに加え、服部卓四郎と辻政信の責任の重大さを強調している。

これら軍人は（大和魂を持った）日本人ではない（なかった）、と切り捨てることはできない。吾ら同胞の（負の）精神は今も日本人の遺伝子の中に流れていると考えるべきだ。それは我々の正義感の深奥に潜り込んでいる。私企業の不正、省庁の組織エゴ、政治家の腐敗等のニュースに触れる度、戦争の教訓が全く生かされていない事実に愕然とする。

（7）戦争に敗れたが、有色人種の国で最後の砦となった日本が、捨て身の抵抗で西洋の植民地支配に立ち向かった歴史的意義は大きく、大義名分とした「大東亜共栄圏建設」に鼓舞され、大戦後ほとんど全ての植民地が独立を獲得していった。結果論ではあるが、日本の先の大戦は３００年にわたる白人支配の世界秩序を打ち壊す契機となった事実は否定できない。

宣戦布告後大本営は「大東亜共栄圏」構想を打ち上げ、正義の戦いであることを強調した。事実、１９４３年11月５日から６日間、東京において大東亜会議が開催され、「大東亜共同宣言」が満場一致で採択された。インドから参加したチャンドラ・ボースは「アジア諸国民のみならず、全世界の被抑圧民族のための憲章となることを願う。」と訴えた。ボースは、日本は「全世界の有色民族の希望の光だ」と宣言した。それにしても宣戦布告の動機の一つに「大東亜共栄圏」構想が加えられていれば、同戦争の世界の評価も１８０度変わっていた可能性も考えられる。今一つの可能性として、完全な後付の誹りは受けるであろうが、アジア諸国の大衆と同胞の意識を持って対話し、啓蒙する度量を示し得ていれば、戦争の帰趨自体も変わっていたであろう。しかし現実は、日本がアジア諸国を侵略したという住民の印象が証明するように、住民への理不尽な暴虐が加えられ、侵略を史実として残されてしまった。

植民地における日本軍の動きの中には「大東亜共栄圏」に繋がるような、胸を張れる史実も残っている。この事例をインドネシアで確認してみよう。インドネシアの植民地支配は、１５９６年にオランダが艦隊を派遣したことに始まる。オランダの３５０年以上に及ぶ植民地支配に終止符を打ったのは、１９４２年の日本軍の進攻であった。その後の日本軍の行動の結果としてジョージ・カナヘレの「日本軍政とインドネシア独立」では次の４点が掲げられている。

１）オランダ語、英語の使用を禁止。これにより公用語としてインドネシア語が普及した。
２）インドネシア青年に軍事訓練を施した。これにより青年が厳しい規律や忍耐、勇猛心を植え付けられた。
３）オランダ人を一掃し、インドネシア人に高い地位を与え能力と責任感を身につけさせた。
４）ジャワにプートラ（民族結集組織）やホーコーカイ（奉公会）の本部を置き、全国に支部を作り、組織運営の方法を教えた。

日本はインドネシア（当時は蘭印総督の支配するオランダ）を侵略したのではなく、インドネシアに独立させようとしていた事実が明確に示されている。ジャカルタの中心にムルデカ（独立）広場があり、独立記念塔が立っている。そこにハッタとスカルノが直筆でサインしているが、その独立の日は「17―8―05」と書かれている。１９４５年8月17日のことであるが、05とは日本の「皇紀」２６０５年のことである。日本への感謝の気持ちが十分感じられる。

一方、大東亜共栄圏を大義名分としていたものの、その実、八紘一宇の中には、皇国日本がアジアの盟主になると言う疾しい感情も暗に持っていた事実も忘れてならない。事実、インドネシアでは当初、つまり日本軍がオランダ軍を蹴散らしながらジャワ島各村落を支配していく過程で、現地住民は涙を流して歓迎したと言う。ところが、それから間もなく、日本軍兵士は彼ら住民に対し、暴力を振るい自由を奪って支配し始めたと言う。全ての部隊なのか一部なのか定かではないが、その事実は確認されている。フイリピンでも同様の日本軍の振る舞いであったため、多くの現地住民がゲリラとなって日本軍に反抗した。

第一次世界大戦後、ドイツが海軍基地を持っていた南洋諸島、つまりマーシャル諸島、パラオ諸島、カロリン諸島、マリアナ諸島を日本の信託統治領とした。そのため、同大戦後の日本の領土は樺太（南半分）、朝鮮、台湾を含めると、日本が如何に短期間のうちに領土を拡大したか驚きである。この史実を平易に解釈すれば、「日本はアジア諸国を侵略した」

との表現の方が実態を表しているようである。

(8) 先の大戦は「当時の国際法上は侵略戦争ではなかった」という刑法上の評価、また「現実に独立に導いた国があり、感謝する人々も多い」という偏った評価が存在するのは確かであるが、道徳上の評価、つまりアジア諸国の住民の被った被害と苦痛を忖度すれば、国際的には「侵略」と捉えられているのはやむをえないであろう。そのため「村山談話」等で日本は閣議を通した国レベルで世界に謝罪しており、全ての国と二国間協議で戦後補償についても最終的な決着をみてきた。

日本の韓国における自由裁量権はポーツマス条約によって確定され、更にその後、ロシア、アメリカ、イギリス等によって幾重にも国際的に承認された（付記―7＆10参照）。中国への軍隊の駐留も同様に条約や協定に則っており、当時の国際法下では侵略とは認定されていない。また、韓国併合後は共存・共栄を目指した「内鮮一体」という同化政策を行い、各種の土木建築事業の他、禿げ山の植林や教育（小学校から大学まで）等の長期的展望の政策を行っている。また、終戦後は朝鮮半島内の財産のほとんどを残し、およそ現在価値にして一千億ドルの帰属財産となり韓国の発展に寄与している。

しかし、統治時代の人・国土・物への投資を日本側が声高に指摘しようが、現地住民側から見れば上からの一方的な押し付けがましい干渉であり、国家神道や日本語の強制からは憎悪しか生まなかった。

一方、戦前から戦後にかけて、米英軍の日本人に対する残虐行為（原爆を含む都市の無差別空爆、捕虜収容所や戦犯裁判と称した勝者の残虐な報復）が国際法違反である事実は検証済みであるが、中国、朝鮮、フィリピン、インドネシア、ニューギニア、ビルマ（ミャンマー）等において日本軍人が捕虜や現住民に暴力行為を振るった事実も否定できない。これらは日本人も人種差別意識を持っていた事実を示唆し、現在でも日本人遺伝子に引き継がれているとの自覚が戦争の反省から滲みだすはずだ。また、日本は中韓国を除くアジア諸国に対し、米欧による植民地から解放するため、短期間の植民地化を実施した。日本側は「良かれ」と思ってかなりの強制手段を伴っていた。しかし、現地住民からすれば迷惑を通り越し、憎悪の対象となっている現状を日本軍は理解しようとしなかった。相手側の理解を求めようとの思想もアプローチもないまま、戦争の現実に紛らせていたのか。差別意識は優越感（劣等感）の裏返しであり、全ての人間の性とも考えられる。その自分達の差別意識をうまくコントロールし、真に差別のない世界の実現に努力せねばならない。

これらを踏まえ村山首相は終戦50周年の外交として、村山談話を発表した。特に注目されるのは次の一節である。

……わが国は、遠くない過去の一時期、国策を誤り、戦争への道を歩んで国民を存亡の危機に陥れ、植民地支配と侵略によって、多くの国々、とりわけアジア諸国の人々に対して多大の損害と苦痛を与えました。……

この村山談話は２００５年４月、インドネシアのバンドン会議50周年の国際会議において小泉純一郎首相の演説でも取り上げられた。安倍晋三首相も２００６年９月に踏襲することを表明している。日本国民としても、「すまなかった」と言う感情を捨て去ることはできない。その責任感は協力事業等の形で今後ともアジア諸国の発展に転嫁されていかねばならない。

（９）　一方、日本を裁いた極東国際軍事裁判は勝者のリンチであり、個々の判決は受け入れざるを得ない状況であったものの、裁判自体は完全に国際法違反であり虚妄の産物である。とは言うものの、日本人自身が戦争の総括と責任追及を怠ったため、その影響は社会の隅々まで行き渡り、日本人の道徳観、責任感、主権を守る誇り、等を蝕んでいる。

９８４人が死刑判決を受け、その他拷問や自殺での死者は２００名余りにのぼるBC級戦犯の裁判所はそれぞれの被告が留置されているアジア各国に設置された。一方、Ａ級戦犯28名の裁判は東京で行われ、７名が刑死した。極東国際軍事裁判いわゆる東京裁判においては清瀬一郎の奮闘が際立っている。彼は裁判の冒頭において動議と裁判官に対する忌避の申し立てを訴えた。まず、ウェッブ裁判長は検察官であり裁判官になる資格がない点を指摘した。動揺したウェッブ裁判長は休憩を宣言し、裁判長室に引き込んだ直後、アメリカ人のキーナン首席検事が部屋に入り込み「マッカーサー最高司令官の政策に反する」として、忌避を退けるよう強制した。検事が裁判官に意見に従わせよう、とするのは全く常識外である。

次いで、清瀬弁護士は「管轄権（ジュリスディクション）」を明確にするよう訴えた。これは裁判所が法廷で行使できる裁判権のことである。つまり、国際法、国内法、州法、軍法、刑法、民法、等の内どの管轄権かを明確にせねばならない。戦時国際法なら問題はなかったが、マッカーサーが出した国際軍事裁判所条例が適用されることとなった。この中には裁判所の管轄に属する犯罪として「ａ平和に対する罪、ｂ通常の戦争犯罪、ｃ人道に対する罪」が掲げられており、個人的責任が成立する、となっている。（ｂ）以外は完全に事後法であり、無法である。また、弁護側は提出証拠の多くを却下され、更に検察側に不利な論陣を被告や弁護士側がすると同時通訳は止められ、速記録からも削除された。例えば、日本人子女が残酷な猟奇的殺害をされた通州事件等である（付記―８）。

判決は米英中ソのほかオランダ、フランスなどの植民地への侵略戦争を認めたが、同盟国だったタイへの侵略は「証明されるに至っていない」と認めなかった。評価されるのは、唯一真珠湾攻撃がだまし討ちではなかったと認定した事実である。

国際法専門の二人の判事の内パール判事の判決書はＧＨＱによって公表を禁じられた。田中正明はその判決書を翻訳し、１９５２年４月28日、占領が解除された当日、「日本無罪論　真理の裁き」として出版した。

パール判事は更に、「現存する国際法の規則の域を超えて犯罪に関して新定義を下し、その上でこの新定義に照らし、犯罪を犯したかどによって俘虜を処刑することはどんな戦勝国にとってもその有する権限の範囲外である。」とした。また、検察側が措置の根拠とする不戦条約について、侵略戦争、自衛戦争の定義が全く不明確で、大きな欠陥である。パリ条約（不戦条約）は、自衛戦争とは何かという問題を当事国自身の決定に委ねている。その為、日本が米英などから受けた経済封鎖に対しては自衛権が認められるべきだ、との結論を示している。彼の判決書は次のように締めくくられている。……時が、熱狂と、偏見をやわらげた暁には、また理性が、虚偽からその仮面をはぎ取った暁には、そのときこそ、正義の女神はその秤を平衡に保ちながら過去の賞罰の多くに、その所を変えることを要求するであろう。

当裁判の被告であった松尾岩根大将の罪状は南京進攻後の民間人と捕虜、兵隊の虐殺である。南京陥落後最大40日間に30万人を虐殺したとされる。南京虐殺事件と言われるこの事件の責任を日本軍の総司令官であった松尾大将が問われた。東京裁判では10万人以上とされた犠牲者は中国国民党の欺瞞ではないかと言われている。犠牲者数が論争されたが、結局犠牲者数の問題ではなく、虐殺したと言う事実を基にＢ級戦犯として絞首刑となった。つまり、当裁判では犠牲者数の特定はしていない。どのように確認して南京大虐殺記念館の石碑に30万人としたのか、定かではない。

日本は自由と民主主義の国である。韓国、中国、北朝鮮に対し、歴史上の事実は事実として、毅然と訴えねばならない。従軍慰安婦問題も、徴用工問題も、南京問題も、お互いに事実を突き合わせ、もし、相手の言い分に筋が通っているなら「勇」の精神を発揮して正直に受け入れ、誤ろう。しかし、もしこちらの言い分に「義」があるなら、決して妥協せず、断固として正しいと思うことを相手に伝えよう。それが、結局世界の中で尊敬を勝ち取ることとなる。相手の言い分を吟味せずただ関係悪化のみを恐れていれば、卑屈な日本人と考えられる。既に受け入れている東京裁判の判決についても、日本の立場から再検討する価値は大きい。相手の主張の価値ある部分を採り入れ、こちらの認識の不足や間違いを補うと共に、相手側にも同様の対応を求めるような理性的かつ建設的な歴史論争が望まれる。憲法前文でも「……われらは、いずれの国家も、自国のことのみに専念して他国を無視してはならないのであって、政治道徳の法則は、普遍的なものであり、この法則に従うことは、自国の主権を維持し、他国と対等関係に立とうとする各国の責務であると信じる」と規定されている。相手を尊敬し、開かれた冷静な対話が待たれる。

もっとも、より深刻な影響をもたらしているのはＧＨＱによるＷＧＩＰであるのは疑いようがない。これは全ての日本人に永遠に罪の意識を持たせる、主にメディアを通しての情報作戦であり、当時の日本人だけでなく、子子孫孫の数億人にまで及び、今なお効果を維持している。日本人はこの自虐思想の呪縛から覚醒し、戦後、即席に与えられた憲法を現況社会に相応しいように、全ての日本人が参加して改正せねばならない。

主権の無自覚、危機意識の希薄化、他国の紛争に対する無関心、これらは戦争の総括がなされなかったことも一原因である。現在の日本は平和を叫び、原爆反対を世界に訴えている。具体的な実現手段の訴えと一体でない限り、それらの運動は自己満足の範囲を超えない。例えば、現在も続く海外の多くの武力紛争に対しては顔を背けており、市民もマスコミも具体的な平和実現の方策にはほとんど言及していない。ウクライナ戦争に関し日本は多くの支援の手を伸べておりその点は世界に誇れるが、戦争根絶への道程を訴える声は余り聞こえない。また、武力や核兵器等の廃絶に言及することを避ける傾向にある。更に、マスコミ報道に頼らざるを得ないのは事実であるが、その内容を全て鵜呑みにするようでもある。日本国主権の侵犯にも余り具体策を論議しない（拉致、北方四島、経済水域への侵入-密漁、不法航行、不法資源探査等）。武力を保持しないとする憲法を守れと言っている一方、米国に武力で守られ自衛と称して武力を保有している現状を是認するという矛盾に気が付かない。そのため、沖縄の苦難にも目をつむり、国の主権を侵害された拉致問題にも反対との総論のみを述べ、具体的な解決法、つまり力、武力による取り戻しの解決法さえも毛嫌いし、自衛隊コマンド部隊の拉致被害者奪還作戦さえも社会は許しそうにない。力で取り返そう、と叫べない世の中になってしまったのだ。領土問題でも歴史認識問題等と同様に、毅然とした態度で近隣国に接しねばならない。

Ⅲ．総括

1．日本のあやまち

昭和戦争開始以後、政府及び軍部は自存自衛及び大東亜共栄圏確立のための戦争と言う後付の目的を設定した。果たして昭和以前の戦争も「国を守る」ために必要不可欠であったかが、今一度確認されなければならない。

日清戦争は東学党の乱を契機に、日清両国が朝鮮半島を巡る主導権争いのため派兵を競った。当戦争に勝利し、朝鮮の独立を承認させた。朝鮮独立は日本の安全保障の要であり、大陸からの侵入を阻む要衝であった。同時に、遼東半島および台湾の割譲を受け、賠償金2億円で講和した。しかし、遼東半島の割譲は極東に不凍港を求めるロシアを中心としたフランス、ドイツの三国干渉で返還を余儀なくされた。それがやがて、日露戦争の導火線となった。しかし、賠償金と台湾の割譲は日本の富国強兵を大きく飛躍させた。その経済力と軍事力で、その後の日露戦争で辛うじてロシアに勝利することができたのである。明治以降の帝国主義の政治・史実を現在の価値基準で善悪を判断するのは公正ではないものの、特に当時は欧米諸国が東西と北から怒涛のごとく植民地化を進めて迫ってきており、極東の日本、韓国、中国は最後のフロンティアとなっていた。このような極めて切迫した危機的時代であった点を考慮すれば、二つの戦争自体は「過ちであった」とは言えない。

サラエボ事件に端を発した第一次世界大戦が始まると、英国は青島に根拠を置く独艦隊の撃破を日本に求めた。日本は青島攻撃により同地を占領し、更に独艦隊を追って南下した南遣支隊は南洋諸島も占領した。日露戦争時、英国の影の支援を受けて勝利していたため、同盟国の英国の要請は断るわけにいかなかったのである。

戦争は政治の延長である、とのクラウゼヴィッチの戦争論を例にとるまでもなく、総力戦となり始めた第一次世界大戦前までは戦争＝悪、との認識は持たれていなかった。従って、日清・日露・第一次世界大戦までは世界基準、国際法に則った戦争であり、「間違いであった」との評価は当時も今も少ない。

もし貧弱な経済力と国防力のままであったなら、到底国土を守り切れなかったであろう。それに加え、戦争に訴えても日本を守ろうとする挙国一致の愛国心が欠如していた場合は、欧米各国の植民地化争いの戦争が日本国内で繰り広げられていた可能性も大きい。つまり、日本を舞台とした欧米諸国の日本争奪戦争である。その時は日本人など虫けらの如くに蹴散らかされていたに違いない。結果、日本は分割され、北海道はロシアに、本州はアメリカに、九州は英国に、四国はフランスに植民地化されていた可能性もなかったとは言えない。

これらの戦争により、実質的に植民地とした朝鮮、台湾及び南洋諸島で日本がどのように植民地経営をしたかは、西洋諸国の植民地政策と一線を画していた。例えば、朝鮮では教育や文化、産業の発展のため多くのインフラ整備をした。教育関係では小学校以外では１４８校の学校の他、京城帝国大学を設立した。これは帝国大学として第六番目であり、８番目の大阪、９番目の名古屋より早い。因みに第７番目は台北帝国大学である。台湾には学校の他、灌漑用のダム建設等に多くの資金と人材が投入された。

これらの結果、日本の文化、産業は大いに発展し大正時代の末には五大国に列せられるようになり、国内的には民主化が進んだ。しかし、昭和時代に入り、軍部の独走、テロリズムが勃興し、中国大陸では参謀本部や政府の意向を無視した暴走が始まった。この暴走が日支事変から太平洋戦争にと突入していく画期となったのである。それまでの日本は世界からも一目置かれ、見事に西洋からの圧力を撥ね退けていたのである。

この軍部の暴走に歯止めを掛け、醜悪化した日本の帝国主義、軍国主義を完全に放棄するためには、戦争で相当な血を流す必要があったのである。また、アメリカの経済制裁は日本軍が種をまいたようにみえるが、西洋人の民族差別はアメリカにおける日本人移住者への種々の規制となって具体化されてきており、その背景には周到に準備された日本への挑発の意図が隠されていた。軍部が日本国を戦争に導いていた事実は国内的には非難され得ようが、対欧米を考える時、軍部が狂気のような集団になった理由の一端は理解の範囲内である。計算された侵略を続ける冷徹且つ論理的な欧米国が身近に迫った時、攻められる側が冷静さを失い発狂者のようになったとしても、非難できないであろう。そして、何れかの時点での衝突は避けられない運命となった。米国は１８９７年、ハワイ王国を併合しパールハーバーに大軍事基地を設置した。日米衝突への布石である事実は同じ年に策定された日本を標的とした「オレンジ計画」の存在からも明白である。加えて、英国はシンガポールに、ソ連はウラジオストックに軍港を持ち、日本は三方から脅威を受けていたのである。３１０万人の犠牲と敗戦の苦渋をなめることで初めて日本は軍国主義から完全に脱出し、かつ欧米の人種差別への痛烈な抵抗を世界に示すことが可能となったのである。

ここで歴史のｉｆとして、もし当戦争を避け得ていたとすれば、米国の完全な属国、僕（しもべ）となった日本しか想像できず（付記—７参照）、屈辱的な現在が想像される。逆に、軍部と政府が最善の選択と決断を行い太平洋戦争に勝利していたと考えよう。例えば、ジェームス・Ｂ・ウッドによる「太平洋戦争は無謀な戦争だったのか」によれば、「本来の基本戦略通り実行していたら（東南アジアと日本近海に戦場を限定していたら）、日本軍は勝利していた。」と言うのである。彼の推論通り日本軍が局地だけとはいえ勝利し、終戦を迎えていたとしたら、その後軍国主義は強化され、徴兵制度が永続化し、戦争再発は既定路線となっていたような、おぞましい最悪の現在が想像される。戦って、負けた、この日本の辿った道が、逆説的ではあるが結果的に最善であったように思える。結果論として、太平洋戦争に負けたことも含め全て史実通りで良かったのではないか。国内的な大本営のあやまち、悪行は冒頭述べた通りであるが、対外的な「あやまち」とは何であったのかを今一度整理してみよう。

「あやまちは　くりかえしませぬ」はつまり、「他国への侵略戦争はしない、しかし、国は死守する」と解釈すべきだ。正に専守防衛に全力を投じる、という政策こそが正しい道、となるはずだが、地政学的にアメリカ、中国、ロシアから身を守るためには外交努力の他、相応の軍備が必要でそのための経済と資源を確保せねばならない。従って、海外の資源を頼って軍事力を増強した当時の方針はやむを得ない自存自衛の途であると、当時の政府始め軍部も考えたのであろう。そして、明治時代の富国強兵から一連の戦争を経て、最後は破局も覚悟してアメリカに宣戦布告したのであろう。紆余曲折はあり、小さな過ちは無数にあったに違いないが、日本の大きな流れの中に、著者は「あやまち」を見出せない。一方、どうして負けたかの分析、組織論等があるが、何れ日本は負けていたのではないか。ポッダム宣言を受諾せず、本土で抵抗すれば神風が吹いて日本は勝利すると最後まで信じていた阿南陸相達もいたが、更に犠牲者が増え、戦場となった故郷は徹底的に破壊され、より悲惨な終戦を迎えていたに違いない。著者は明治維新以後の日本が通った短い道の中に「あやまち」を見出し、その代替案を考え付くことができない。

ところで、１９４３年大東亜共栄圏会議を開催したが、各国から招聘したのは親日派の人物であったのは間違いなく、その国の大衆とは関係のないエリートだけによる自己満足のパフォーマンスであった。開戦して2年後というタイミングを考えれば、後付の大義名分ではなかったか。そして、それぞれの一般国民と密接な対話を行っていれば、対西洋、民族平等という理想をアジア諸国民と共有できていた可能性は大きく、種々の局面で現在より平和なアジア地域と世界が想像できる。それが出来なかった、それをしなかった、のは日本人自体がアジア人に対して差別意識、優越感を持っていたためではないだろうか。大東亜戦争と言い、大東亜共栄圏を創出するのがこの戦争の大義名分だったと、東京裁判の被告たちは口をそろえるが、果たして該当国、フィリピン、マレーシア、インドネシア、等に蔑視感を持たず対等な外交態度と手段で接近しただろうか。彼の国々と「大東亜共栄圏」創立に関する具体的な協議をどの程度本気で行い、同意を得ていただろうか。多分に独りよがりの口実（資源獲得の）ではなかっただろうか。

大陸への領土拡張を画策した西郷隆盛の「征韓論」の字を見るだけで、野心成就の手段は「征服」であり、西洋の植民地主義そのものである。欧米回覧から帰国した岩倉や伊藤が、西郷が留守中に行った閣議決定（韓国への接近）を覆したものの、数十年後には全く同じ途を歩んだのである。その時も大多数の現地住民意思を汲み取ろうとする施策は執られていない。唯一このことこそが諸悪の根源ではなかっただろうか。

何れにしても、敗戦し、連合国からだけでなく近隣国からも非難され続ける忍従の世になるのを日本人は受容したのである。同時に大和魂や武士道も一緒に捨て去らざるをえなくなった。日本は原田甲斐になる覚悟をしたのである。しかし、樅の木（山紫水明平和な日本）は残った。ふるさと（沖縄を除いて）は、３１０万人の犠牲の上に、美しく保たれていたのである。沖縄の不幸は戦時中のみならず、現在でも二国の覇権国、米中に翻弄されているのは全く気の毒という他ない。一時も早い平和の到来が望まれる。

ところで戦後、謝罪と賠償を迫られ、どちらもそれなりに行ってきた。しかし、ドイツの徹底的な謝罪と倍近い賠償と比較され、非難されることがある。この時、ドイツは戦争に対する、つまり戦争犯罪に対しての謝罪はほとんど行わず、専らナチスのホロコーストに対する謝罪である点を想起する必要がある。具体的に言えば、東ヨーロッパ諸国のユダヤ人、ロシア兵、ポーランド国においては知識人、ドイツ国他のジプシー、等の大量殺戮である。ロシア兵の殺戮（ほとんどは餓死）を除き、戦争犯罪の枠を超えている。この事実が「人道に対する罪」としてニュルンベルグ裁判で対象となったのである。日本には類似の犯罪は全くない。確かに日本兵による戦争犯罪は各地で観察されているが、他国も同様の戦争犯罪を行っており、戦争に対する人間としての反省をこそ人類全てが行わねばならない。

それらの結論を要約すれば以下のようである。

政府や軍上層部による多くの国策・戦略の失敗、戦地における捕虜、住民らに対する虐待等は日本の汚点として反省せねばならない。一方、現在の平和で、自由で、民主的な世の中を肯定する限りにおいて、明治以降の大筋での対外的な日本の態度・振る舞いの中に「あやまち」を明確に示すことはできない。但し、アジア諸国民との対話と協調、思いやりが

乏しかった点は致命的な日本の失態であろう。この根源的な問題を突き詰めれば、日本人の差別意識に行き着き、現在も拭い去られていない。この差別意識は全人類の性の一つであり、それが戦争に繋がらないような機構、制度を打ち立てねばならない。

2．アジア諸国に対する責任

当時の国際法の下では「侵略」はしていないと言い切れるが、アジア諸国の人々の立場に立てば、また武士道の「誠」の精神に照らしてみても、昭和の戦争はアジア諸国に対して「侵略」の一面を持っていたと表現するのが適当である。また、アジア諸国で日本軍が残虐行為に及んだ事実も否定出来ない。村山首相はじめ、多くの首相が謝罪したのは戦争で被害を受けたり残虐行為を経験したアジア諸国の人々に対してであり、世界にも受け容れられている。

今後は未来志向で謝罪に変え、アジア諸国の発展と平和に貢献し、技術協力を惜しんではならない。これがアジア諸国への罪の償いであり責任を果たす唯一の道である。

3．戦後生まれの若者の責任

日本は今、治安が良く豊かで平和なのは、①先祖の日本人が培ってきた文化、技術と経験が戦後の豊かさの基礎となっている、②明治維新から太平洋戦争終戦までの戦争主体の対外折衝、日本の奮闘が、結果論ではあるが、今日の自由で民主的な日本を作った、③戦後の経済発展は当時の労働世代が身を粉にして働いたからである、④アメリカと自衛隊の軍事力が近隣国との衝突の当面の抑止力となっている、等の理由からである。従って、戦後世代の若者はそれら歴史や先人・先輩の努力の賜物で平和の恩恵に預かっているのであるから、戦争の罪は一切問われないのは当然であるが、前の世代が背負う責任を共有する責任がある、と考えるべきだ。

４．戦争責任を果たすため、日本国は次の三点の国家戦略が必要である。

（１）日本は国連を不偏不党に改革し、国際間の調停力最大化に尽力する。「和」の精神に立脚した中立の立場を貫き、安全保障は徐々にアメリカから離れ、国連に委ねる。親善外交を旨としつつも、軍縮及び核兵器廃絶の実現のためには一歩も引かない覚悟で臨む。

渡辺利夫は「新脱亜論、文芸春秋、２００８」の中で、「東アジア共同体に日本が加わって「大陸勢力」中国と連携し、日米の距離を遠くすることは、日本の近代史の失敗を繰り返すことにならないか。……日米同盟を基軸とし、台湾、東南アジア、インド、さらにこれにオーストラリア、ニュージーランドを加え、これらがユーラシア大陸を牽制しながら自らの生存と繁栄を図るという生き方が賢明な選択である…。」と言っている（付記―12）。

一方、進藤榮一は「アジア力の世紀、岩波書店、２０１３」の中で、「…近隣諸国民との共生を進め、地球環境の持続可能性を最大化させて、人間の顔をした資本主義をつくる、二十一世紀サステナビリティー・ゲームの時代だ。その時代を生き抜くために、私たちは何をなすべきか。その解が、アジア諸民族との共生を持続可能なものに変える、地域統合の構築とその深化の物語を紡ぐことにある。」として、中国・韓国等との共同体推進を基軸とする戦略を例示した（付記―13）。

しかし、アメリカとの安保条約、あるいは中国韓国を中心とした東アジア共同体を機軸とした体制、何れも「対立」を解消しえないどころか、むしろ「対立」をあおり立てるのみだ。乱暴に上記の両者を色分けすれば、前者が右派、後者が左派、となるが、全く異なる国家戦略を謳っているのは明瞭だ。太平洋を挟んで東にアメリカ、西に中国を抱えた島国日本の地政学的な運命であろう。もちろん北のロシアを忘れるわけにいかないが。米中の対立は上記何れの戦略を持ってしても、近未来に溶解するとは考えられない。現在アメリカと安全保障条約を結んでいる日本としては、短期的にはこの体制破棄は危険であり、現状維持が唯一の選択かもしれない。しかし、中・長期的には「二国間の話し合いで紛争を解決する」との国連安全保障に関わるルールを変更し、不偏不党の国連による調停でしか、戦争の芽を摘むことはできない。従って、その時点で沖縄に多大な犠牲を強いている日米安保条約の使命も終え、何れの陣営にも属さず、かつ何れの国とも友好的な関係を築いて世界平和の旗手となるのが理想だ。詳細は前著「日本が地球を救う」に譲る。

（2） 特に弱小貧困国を紛争や貧困から解放するため、それらの国の自律と経済自立、また国土の持続性を最大化させる必要があり、そのために日本としては国際協力事業等を通じて技術移転を加速させねばならない。

貧困者が惨めな生活を余儀なくされている開発途上国も多い。それらの国に対し貧困対策と食糧生産増大に日本としても技術支援する意義は大きい。また、それらの国に対する環境保護や食糧生産支援は、回り回って日本の持続性を高めることに繋がっている。このような共生世界が実現すれば、日本のみならず、それらの国と共に未来に向けたレジリアンス、柔靭性を獲得し、環境の変化にもしなやかに対応していけるであろう。

但し、即刻停止すべき性格の援助と、永続させるべき援助があり、それらを明確に同定し示すことが求められる。その一判断基準は被援助国の自立を支援する性格の援助か、そうでないかということで、徒に援助の永続化のみを求めてはならない。常に撤退戦略を全ての援助プログラムに組み込む必要がある。永続させるべき援助の例としては「緊急援助隊の派遣」がある。各種自然災害などで多くの人が救助を待つ地域に派遣される援助隊は、従前のケースでも評価が高く、多くの感謝の言葉が寄せられている。

また、戦争責任を果たすのみでなく、３１０万人の日本人犠牲が無駄でなかったことを証明するためにも、世界の平和、地球の持続性に日本は率先して取り組まねばならない。また、日本の豊かさ、素晴らしさを子供たちの世代と共有し、子供の自殺が皆無になるような社会を作らねばならない。その時こそ、戦争で亡くなった方たちの御霊が鎮められる時だと信じられる。

（3）　人口減少社会を奇貨とし、適正人口による豊かな国土、故郷を創生する。

特攻隊の若者たちが、死に赴くときに拠り所（何のために、誰のために命を捧げるか）としたのは「天皇陛下」でも「責任感」でもなく、それは家族であり故郷（ふるさと）であった。家族の安寧と、故郷の永続、のために命を捧げるのだ、と考えることにより、安らかに死地に赴く決意が得られた、と言う報告がある。

人口減少は恐るるに足らず。食料生産を含め、持続的な環境を獲得すれば、他国、他地域への依存度が減少し、摩擦も減る。環境に対するレジリアンスも向上する。そのために、経済と便利さをある程度犠牲にすることも厭わない決意が必要だ。

特攻隊で散っていった若者が、命の代償に心に抱いたのは親兄弟友人達と故郷（ふるさと）の持続と繁栄であった。ふるさとは自然と人の命との合作である。それを守ろうと、戦士達レベルでは戦いに臨んでいたのである。戦争はふるさとを守ることである、とも言える。故郷（ふるさと）に関しては、後段で論議する。

Ⅳ．戦争の後で

吉田松陰が明治維新から太平洋戦争までの日本の迷走の魁（さきがけ）であった。西洋を憎む一方、西洋の文明・武器の先進性にコンプレックスを抱き、大きなショックを受けた。そのギャップを埋めようと無謀な密航で西洋を目指そうという捨て身の行動に出た。その劣等意識の焦燥感は先の大戦開始の一要因に繋がる。そのギャップは神国日本に神風が吹くことで埋められるとの夢想が日本、特に軍の上層部を覆っていた。しかし、余りにも大き過ぎるギャップを埋めるには神風（特攻隊）如きは「蟷螂の斧」でしかなかった。

ところが、戦後間もなく神風が吹いた。軍国主義から解放された幸運はもちろんであるが、破壊され尽くしていた日本経済に神風が吹いたのである。ソ連、中国の共産主義の脅威がアメリカをして日本の武装化を促し、ガリオア・エロア等の援助や産業発展支援の手を伸ばしてきた。戦後わずかに5年後、１９５０年、朝鮮戦争が勃発し、間もなくしてベトナムでも戦争が開始された。それらの戦争は軍需物資の需要増を通して日本の景気を一気に押し上げ、工業・技術等の未曾有の発展につながったのである。アメリカは日本に民主主義・自由主義の防波堤として期待したのである。武力を放棄するとの憲法を押し付け、日本の脅威を取り除こうとしたその数年後には、手の平を返したように自衛隊の前身である警察予備隊の創立と武力の保持を強請したのである。

この神風は真の神風であったのだろうか。確かに産業と経済の爆発的進展を見、個人の生活水準は飛躍的に伸びた。日本人はこれまでになく自由を謳歌し始めた反面、精神は限りなく自己中心となり、武士道精神の喪失、享楽主義の蔓延をもたらした。戦後、戦争責任の総括をせず、真に責任を問われるべき人物達が大手を振って日本社会、特に上層部に返り咲いた事実は、日本をして自分さえ良ければ良い、という利己主義が覆う無責任時代を招来した。

更に、戦争責任追及を放棄した事実に加え、ＷＧＩＰが追い打ちをかけた。戦後75年、その流れは更に拡大し、日本には私企業の不正が相次ぎ、公機関、特に省庁が組織エゴを正当化し、政治からは腐敗臭が漂い、海外の不幸には目をつむる社会となってしまった。市井の人々は助け合い、信じ合う精神を未だ保っているが、グローバル経済と言う大きな世界の中で跳梁する人々、政官財界はそれらを等閑視し、共助精神を衰えさせつつある。つまり、江戸時代の純真無垢の世界、「逝きし世の面影」の世界からますます遠ざかっていると言える。計り知れない悪影響をもたらしているＷＧＩＰについては次節で検討しよう。

付記―1　南京事件の真相

南京事件とは日中戦争初期の1937年に日本軍が中華民国の首都南京市を占領した際の12月13日の直前直後から6週間もしくは最大で2カ月間以内にわたって、当時の日本軍が、中国軍の捕虜、敗残兵、便衣兵、そして南京城内の一般市民等に対して、戦時国際法に違反した殺傷等の行為を行ったとされる事件である。事件に対しては規模を30万人とする「虐殺派」、事件を連合国の戦犯裁判と軌を一にする「自虐史観」に則った見解であるとする「まぼろし派」、そしてその中間の何件かの死傷事件は記録からも伺えるとする「中間派」に分かれて論争されている。日本政府は、日本軍の南京入城後に非戦闘員の殺害や略奪行為等があったことは否定できないとしつつ、被害者の具体的な人数については諸説あり、政府としてどれが正しい数かを認定することは困難であるとの立場をとっている。因みに、戦後南京裁判においては30万人とされ、東京裁判では10万人以上、と認定している。一番大事なのは感情論やイデオロギーに左右されないで、南京事件を確定した二つの裁判（1946年から南京で行われた国民政府国防軍戦犯軍事法廷、それに東京の極東国際軍事裁判）の資料を厳密に再検討・分析し、どのような経緯で前者は30万人の虐殺、後者では10万人以上の虐殺、と言う結論が導き出されたか、を歴史の原点に戻って論証することが必要だ。

一方、戦後、教科書での記述について国会等で若干の質疑応答があったものの、大衆を巻き込んだ論争の口火を切ったのは朝日新聞の本多勝一だ。中国大陸での聞き取りを基に1971年8月から「中国の旅」と題する連載が朝日新聞紙上で開始され、日本軍の中国侵略の実態が告発された。これらを契機とし、中国や台湾で南京事件の研究が刺激され、以後南京大虐殺として日本政府に歴史認識の徹底を強要し始めた。

一般人等への虐殺はあったのか、なかったのか、の論争は未だ続いている。当時日本軍の総司令官は松尾高根大将であったが、彼は法学博士の斎藤良衛を国際法顧問として帯同する等、国際法遵守を旨としていた。更に、彼は真の支那思いで、「南京城攻略要領」で、「不法行為等絶対ニ無カラシムルヲ要ス」「名誉ヲ毀損スルガ如キ行為ノ絶無ヲ期スルヲ要ス」「略奪行為ヲナシ又不注意ト雖、火ヲ失するモノハ厳罰ニ処ス」等と示達している。しかし、現実には軍紀の乱れは存在した。彼は日記にそのことを「残念至極」と悔やんでいる。その事例とは「自動車等の略奪行為」であり、「・・参謀ヲ派遣善後策ヲ講スルト共ニ当事者ノ処罰ハ勿論責任者ヲ処分スベク命令ス」と記している。この事実からは虐殺の存在は全く窺われない。一方、全ての兵士が聖人君子であるわけはなく、また軍令も兵士の隅々まで徹底していたわけでもない。強姦、略奪、一般人への危害は第三者に観察されており、それらは否定することは出来ない。冷静な資料調査から確認されたのは通常の戦争に伴う事例以上でも以下でもない、と言う結論であった。

南京陥落二カ月後、ジュネーブの国際連盟で顧維鈞中華民国代表が、市民や捕虜を虐殺したかのように報じた「ニューヨークタイムズ」のダーディン記者や「シカゴデイリーニューズ」のスティール記者の記事を根拠に南京二万人虐殺に言及している。しかしこの時も日本軍非難決議は出なかった。つまり、国際連盟の外交官たちは日本軍の処刑を合法と見ていたことになる。まして三十万住民の虐殺、などとは中国側も国際連盟各国も認識していない。

最初に「南京事件」を世界に知らしめたのは「WHAT WAR MEANS: The Japanese Terror in China (London, 1938)」であり、マンチェスター・ガーディアン紙の中国特派員ハロルド・J・ティンパーリーが著者である。彼は国民党宣伝部の顧問であり情報工作者だった。中国は昔から「戦争は政治の延長」を実践し、情報工作（諜報、あるいはスパイ行為）を実際の戦闘活動と同等に重要視していた。ティンパーリーは国民党に見出され、最も相応しい第三国人として「南京事件」の報道を世界に発信させた。その報道に脚色と誇張が存在したのは当然の成り行きであろう。相当な資金が提供されていたことが実証されている。

アメリカのスマイス教授も国民党宣伝部の情報工作者だった。国際宣伝処長の曾虚白によれば、二人に宣伝刊行物の

「日軍暴行紀実」と「南京戦禍写真」を書いてもらい、見事に成功した、と述べている。その前者、つまりティンパーリーが書いた「WHAT WAR MEANS」には「四万人近くの非武装の人間が南京城内または城門の付近で殺され、そのうち約30パーセントはかつて兵隊になったことのない人々である」と表現されている。一方、スマイスが書いた後者は「南京市内における殺害は２４００人である」となっている。それらの数値がいつの間にか30万人の虐殺になっていた。

スマイスの報告によると南京陥落時の人口は22万１１５０人。一方、それから約一ヶ月後１９３８年1月14日、安全区国際委員会委員長のラーベの証言が資料として残っている。その証言では、南京の人口はおそらく25万から30万人となっている。この二つの第三者による数字の単純な計算からはむしろ南京の人口は増加したこととなる。陥落後、大量の人民が流れ込んできたと考えられるが、虐殺が行われている現場に戻ってくるとは考えにくい。どこから虐殺30万人の数値が出てきたのかは謎である。この数字は南京陥落直後の12月15日、蒋介石が発表した「南京退出宣言」に初めて出てくる。「この度の交戦開始から今まで、我が前線将士の死傷者は既に三十万に達している。」と述べている。この数字が使われた可能性が指摘されている。

付記―2　保阪正康、「文芸春秋」令和2年7月号、日本の地下水脈

明治維新後、次の五つの国家像が模索された。

1. 欧米列強に倣う帝国主義国家
2. 道義や倫理を尊ぶ帝国主義的道徳国家
3. 自由民権を軸にした民権国家
4. 米国に倣う連邦制国家

5．攘夷を貫く小日本国家

1．は現実に政府が選び、その後日本が進んだ道。2．は帝国主義の道を進むが、軍部主導ではなく、市民社会の道義をその軸に据えた国家で、植民地における殖産や興業をおこなうものの、1．とは違った形の帝国主義の可能性。欧米列強の植民地を解放すると言う発想や、植民地の文化や伝統を否定せずアジア的な共生を目指すという思想もこの中に入る。欧米式帝国主義が数百年にわたってやってきたマイナス面を、日本ならではの手法で超克する方法ともいえる。3．は明治十年代、板垣退助の自由党の活動に代表されるような自由民権運動の中に垣間見えた国民主権の国民国家。4．はちょうどそのころに南北戦争を終え、連邦制国家を作り始めた米国を模した国家（岩倉使節団により米国との国情の違いが鮮明になり、当国家像は早くに否定された）。5．は鎖国下の江戸時代、それぞれの藩を中心に作られた日本的な特徴や文化を生かした小国家。石橋湛山の国家像もこの案に近いが、文明、工業の決定的な落差を、限られた土地・資源の中でどのように克服するか、乏しい兵力・武力でどのように西洋の植民地政策に対抗するか、等の具体策は示されていない。

付記—3　石橋湛山の小日本主義

石橋湛山は大正十年七月二十三日「東洋経済新報」社説「一切を捨つるの覚悟—太平洋会議に対する我態度」を発表し、…日本は「朝鮮、台湾、満州を捨てる、支那から手を引く、樺太もシベリアもいらない。」この覚悟で会議（注1）に臨まなければ、軍縮は成功しない。日本は率先してお手本を示すべきだ。…とした。

（注1）同年（1921年）11月から翌年2月までワシントンで開かれた国際会議（ワシントン会議）において、五

ヶ国条約では主力艦総トン数の比率を5，5，3，1・75，1・75（アメリカ、イギリス、日本、フランス、イタリア）とした。

付記―4　戦争責任

「検証　戦争責任　Ⅰ&Ⅱ、読売新聞戦争責任検証委員会、２００６」抜粋

＊戦後生まれの方からの質問

「中国、韓国の人から戦争責任を問われてどう答えれば良いのか」

…　当時、戦争は合法であった。戦争は一人日本だけで行っていたのではなく、世界情勢の中で避けえなかった。その愚かさは認めるべきである。同時に西欧諸国の植民地獲得競争が華やかであった世界情勢も間違いであった事実を共有すべきだ。中国に対しては、戦後日本はあの戦争に対して東京裁判において国際社会から裁かれ、決着がついており、更に深く反省している事実をしっかり伝える。そして、戦後日本の平和外交の実績を訴え、中国がチベットに攻め入り、インドやソビエトとも戦った事実、今でも東シナ海や台湾への軍事行動に対する中国人の考えを糺す必要がある。（櫻井よしこ）

（第12章　戦争責任とは—抜粋）

…極東国際軍事裁判（東京裁判）に関しては、戦勝国側が事後法をもとに日本側を一方的に裁いたこと、連合国の行為は全て不問に付されたこと等に批判が多い。

…指導者らの戦争責任を巡っては、戦争犯罪に対する責任だけでなく、過失や、やるべきことをなさなかった不作為の責任も論じられてきた。特に政治リーダーについては、トップほど政治的な「結果責任」は重い。戦争の局面から見

れば「開戦責任」「敗戦責任」という議論の立て方もある。更に誰に対する責任かという観点に立てば、日本国民と、外国や他民族に対する議論に分けられる。

…「後世、国民を反省せしめ納得せしむるに、十分、力あるものにしたい」１９４６年3月、幣原喜重郎首相は、前年11月に設置した「戦争調査会」第一回総会でこう強調した。…調査会の任務について、①戦争敗北の原因及び実相を明らかにするため、政治、軍事、経済、思想、文化等あらゆる部門にわたり、徹底的な調査を行う、②戦争犯罪者の責任を追及するような考えは持っていない。…と説明。

…この活動にソ連が廃止を主張し、英国も同調した。結局、調査会は、マッカーサーと吉田の相談の結果、9月30日廃止された。

…東久邇内閣は45年9月、自主裁判を行う決意があるとの声明案を決定。しかし、ＧＨＱによって中止させられた。

米・ソの「戦争責任」

…アメリカは、１９４５年3月の東京大空襲で、一般の住民ら約八万八千人を殺害したのをはじめ、日本各地で焼夷弾の無差別爆撃を繰り返した。さらに、広島、長崎に原子爆弾を投下し、死者は広島約十四万人、長崎約七万四千人にのぼった。

…ソ連は45年8月8日宣戦布告し、9日から攻撃を始めた。日ソ中立条約は有効であり、期限は46年4月までだったから、明白な条約違反だった。日本は8月14日、ポッダム宣言を受諾し、連合国に通告した。だが、ソ連軍は進軍を続けた。日本軍だけでなく、日本の居留民や中国人に対しても暴虐の限りをつくした。8月28日から9月5日までの間に択捉、国後、色丹、歯舞の北方領土を全て占領。9月2日には、日本が降伏文書に調印していたにもかかわらずである。スターリンは、北海道をあきらめた後の8月23日、日本の捕虜をシベリアに送り込むように指示した。抑留された日本軍人、民間人は約五七万五千人。劣悪な環境のもとで労働を強いられ、五万五千人が死亡している。

付記―5　パリ不戦条約（戦争放棄に関する条約）

＊1928年、第一次大戦に至る帝国主義戦争に疲弊した先進諸国を中心に「ケロッグ・ブリアン条約」とも呼ばれるパリ不戦条約（戦争放棄に関する条約）が調印された。日本も調印し、翌年これを批准した。ところが日本はその後、間もなく満州に軍を進めた。1931年9月18日の柳条湖事件（ロシアのコミンテルンが満鉄を爆破した？諜報（謀略）活動の一環？ソビエト解体後、新たな資料が発見されて明らかになった？）を発端とし満洲事変、日中戦争、日米戦争へと、破滅への戦争を拡大させ、45年の敗戦に至った。

＊1921年から翌年までのワシントン軍縮会議（海軍主力艦の比率等を決定）が行われ、平和への道を歩んでいたが、それをぶち壊したのがヒトラーのナチズムであり、ヒトラーのドイツと結んだ日本軍国主義である。

付記―6：鉄道王ハリマン（Wikipedia）

エドワード・ヘンリー・ハリマンは、世界を一周する鉄道網の完成という遠大な野望をいだいていた。南満州鉄道の買収は、東支鉄道やシベリア鉄道に関するロシア帝国との折衝に良い影響をもたらすとして、当鉄道の買収を日本政府に打診した。桂太郎をはじめとする一部の政治家は、日露戦争後の戦費の負債から興味を示し、具体案の提示をハリマンに求めた。

これに手応えを感じたハリマンは具体案作成のために南満州鉄道の視察が必要であるとして、同年9月中旬に日本を離れて大韓帝国と清国北部へ渡り、南満州鉄道を視察した。同年10月9日に改めて訪日して再び東京へ戻ると、桂内閣に南満州鉄道に関する協定を提案した。桂内閣に求めた協定は、南満州鉄道及び大連など近辺の付随施設の均等な代表権利と利益の折半であった。また、日本の管理下に置いて法律を適用し、鉄道敷設周辺の地において戦闘や戦乱が発生した場合は、日本側が対処及び安全を保証することなどの要望も含まれていた。協定条件として約1億円という破格の財政援助を持ちかけて、南満州鉄道の共同経営を希望する内容であった。

この協定に桂内閣では、外資が急務としてハリマンの協定に賛同する意見と、ハリマンと入れ替わるように訪米していた小村外務大臣の帰国後まで待ち、小村からのポーツマス条約についての詳細報告後に判断したいという意見に分派したことから、ハリマンが米国へ向けて帰国出発する10月12日には調印に至らず、ハリマンの求めで非公式な覚書を交わすのみとなった。すなわち、仮契約のかたちで予備協定覚書を結んで、本契約は小村が帰国したのち、外交責任者である小村の了解を得てからのこととしたのである。同年10月15日の小村外相帰国後に、桂内閣内で講和条約を踏まえて同案件が検討されたが、講和条約第6条に影響する内容が含まれることが判明したことから、ハリマンの買収案は成功しなかった。

付記—7　日米開戦の真実、佐藤優&大川周明、小学館、2006

＊日本の韓国における自由裁量権はポーツマス条約によって確定され、更にその後、ロシア、アメリカ、イギリス等によって幾重にも国際的に承認された。

＊九国条約第三条（日本の中国における特殊権益の否定）＝ワシントン体制こそ日本を孤立に追い込み、中国進出を加速せしめた国際的な要因であった。（外交戦におけるアメリカの勝利、日本の敗北）

＊日本国民は当時の国家指導者に騙されて戦争に突入したのでもなければ、日本人が集団ヒステリーに陥って世界制

覇という夢想に取りつかれたのでもない。日本は当時の国際社会のルールを守って行動しながら、じりじりと破滅に向けて追い込まれていったのである。あの戦争を避けるためにアメリカと日本が妥協を繰り返せば、結局、日本はアメリカの保護国、準植民地となる運命を免れなかったというのが実態ではないか・・・。

＊アメリカの鉄道王と呼ばれたハリマンが、南満州鉄道を買収するために１９０５年８月下旬・・・来朝し・・・日本は遂に彼の提案を容れて、驚くべき内容を有する覚書が10月20日付けをもって桂首相とハリマンとの間に成立したのであります。その内容とは、満鉄及び満鉄に属する鉱山その他各種事業の権利の半ばを、ハリマンの支配するシンジケートに譲渡し、これに相当する代金を受け取るということであります。・・・三日後に、ポーツマス条約を携えて帰朝した小村全権が、その覚書を見て驚き、かつ憤り、極力反対を唱えて遂に政府を動かし、これを取り消させたのであります。

＊アメリカは大体において常に日本に好意を示してきたのであります。しかしハリマンの計画ひとたび失敗するに及んで、日本に対するアメリカの態度は、次第に従前とは違ってきたのであります、それはアメリカが、日本をもってアメリカの東洋進出を遮る大いなる障碍であると考えはじめた……。実にこの時より以来、アメリカは日本の必要やむなき事情を無視し、傍若無人の横車を押し始めたのであります。

付記―８：通州事件（Wikipedia）

通州事件（つうしゅうじけん）とは、１９３７年（昭和12年）７月29日に中国の通州（現：北京市通州区）において日本の傀儡政権である冀東防共自治政府麾下の保安隊（中国人部隊）が、日本軍の通州守備隊・通州特務機関及び日本人居留民を襲撃・殺害した事件。通州守備隊は包囲下に置かれ、通州特務機関は壊滅し、２００人以上におよぶ猟奇的な殺害、処刑が中国人部隊により行われた。通州虐殺事件とも呼ばれる。

極東国際軍事裁判（東京裁判）では、１９４７年４月25日に通州事件に関連する14件の証拠が却下され、１件が撤回され、１件が未提出であった。このうち通州事件に直接言及しているのは、昭和12年８月２日付の外務省情報部長声明「通州事件に関する公式声明書」（弁護側文書番号：１１０９）と同年８月４日付の外務省情報部長談「通州事件」（弁護側文書番号：１１０７）であったが、双方とも「外務省スポークスマンの発表は証拠価値無し」との理由でウェッブ裁判長の即決で却下された。

一方、萱嶋高中将、桂鎮雄少佐、桜井文雄少佐の３名の証人の口述書が受理され、１９４７年４月25日午前11時から11時58分の間に萱島と桂が出廷し宣誓供述書を読み上げ、午後１時32分に桜井が出廷し証拠写真三点を提出し宣誓供述書を読み上げた。

以下略

付記―９「日本は侵略国家ではない」

渡辺昇一らは「日本は侵略国家ではない」とはっきり訴えている。朝鮮（韓国）への駐留と併合（植民地）、中国への進出について、当時の国際ルールに基づいており、条約で合意されているのみならず、当該国の一部からはむしろ歓迎されていた事実もある。これらについての詳細な資料について、「日本は侵略国家ではない、海竜社」で論じている。

付記―10：日韓協約（Wikipedia）

第二次日韓協約は、日露戦争終結後の１９０５年（明治38年）11月17日に大日本帝国と大韓帝国が締結した協約。これにより大韓帝国の外交権は、ほぼ大日本帝国に接収されることとなり、事実上保護国となった。

第１条：日本国政府は、東京にある外務省により今後韓国の外国に対する関係および事務を監理指揮するものとし、日本国の外交代表者および領事は、外国における韓国の臣民および利益を保護するものとする。

第２条：日本国政府は、韓国と他国との間に現存する条約の実行を全うする任務に当たり、韓国政府は、今後日本国政府の仲介によらずして国際的性質を有する何らの条約もしくは約束をしないことを約する。

第３条：日本国政府は、その代表者として韓国皇帝陛下の下に統監（resident general）を置く。統監は、外交に関する事項を管理するため京城に駐在し親しく韓国皇帝陛下に内謁する権利を有する。日本国政府は韓国の各開港場および其の他日本国政府の必要と認める地に理事官（resident）を置く権利を有する。理事官は、統監の指揮の下で、従来在韓国日本領事に属した一切の職権を執行し、ならびに本協約の条款を完全に実行するために必要とすべき一切の事務を掌理するものとする。

第４条：日本国と韓国との間に現存する条約および約束は本協約の条款に抵触しないかぎり全てその効力を継続するものとする。

第５条：日本国政府は韓国皇室の安寧と尊厳を維持することを保証する。

付記―11　：ポーツマス条約（Wikipedia）

ポーツマス条約は日露戦争の講和条約で、アメリカ合衆国大統領セオドア・ルーズベルトの斡旋によって、日本とロシア帝国との間で結ばれた日露戦争の講和条約。日露講和条約とも称する。

日露戦争において終始優勢を保っていた日本は、日本海海戦勝後の１９０５年（明治38年）６月、これ以上の戦争継続が国力の面で限界であったことから、当時英仏列強に肩を並べるまでに成長し国際的権威を高めようとしていたアメリカ合衆国に対し「中立の友誼的斡旋」（外交文書）を申し入れた。米国に斡旋を依頼したのは、陸奥国一関藩（岩手県）出身の日本の駐米公使高平小五郎であり、以後、和平交渉の動きが加速化した。

講和会議は１９０５年８月に開かれた。当初ロシアは強硬姿勢を貫き「たかだか小さな戦闘において敗れただけであり、ロシアは負けてはいない。まだまだ継戦も辞さない」と主張していたため、交渉は暗礁に乗り上げていたが日本としてはこれ以上の戦争の継続は不可能であると判断しており、またこの調停を成功させたい米国はロシアに働きかけることで事態の収拾をはかった。結局、ロシアは満州および朝鮮からは撤兵し日本に樺太の南部を割譲するものの、戦争賠償金には一切応じないというロシア側の最低条件で交渉は締結した。半面、日本は困難な外交的取引を通じて辛うじて勝者としての体面を勝ち取った。

この条約によって日本は、満州南部の鉄道及び領地の租借権、大韓帝国に対する排他的指導権などを獲得したものの、軍事費として投じてきた国家予算４年分にあたる20億円を埋め合わせるための戦争賠償金を獲得することができなかった。そのため、条約締結直後には、戦時中の増税による耐乏生活を強いられてきた国民によって日比谷焼打事件などの暴動が起こった。

講和内容の骨子

＊　日本の朝鮮半島に於ける優越権を認める。
＊　日露両国の軍隊は、鉄道警備隊を除いて満州から撤退する。
＊　ロシアは樺太の北緯50度以南の領土を永久に日本へ譲渡する。

＊ロシアは東清鉄道の内、旅順―長春間の南満洲支線と、付属地の炭鉱の租借権を日本へ譲渡する。
＊ロシアは関東州（旅順・大連を含む遼東半島南端部）の租借権を日本へ譲渡する。
＊ロシアは沿海州沿岸の漁業権を日本人に与える。
日本は１９０５年10月10日に講和条約を批准し、ロシアは10月14日に批准している。

影響

１９０５年９月５日、東京日比谷公園でひらかれた講和条約反対の決起集会

「金が欲しくて戦争した訳ではない」との政府意向と共に賠償金を放棄して講和を結んだことは、日本以外の各国には好意的に迎えられ、「平和を愛するがゆえに成された英断」と喝采を送った外国メディアも少なくなかった。しかし日本国民の多くは、連戦連勝の軍事的成果にかかわらず、どうして賠償金を放棄し講和しなければならないのかと憤った。有力紙であった『万朝報』もまた小村全権を「弔旗を以て迎えよ」とする社説を掲載した。しかし、もし戦争継続が軍事的ないし財政的に日本の負荷を超えていることを公に発表すれば、それはロシアの戦争継続派の発言力を高めて戦争の長期化を促し、かえって講和の成立を危うくする怖れがあったため、政府は実情を正確に国民に伝えることができなかったのである。

日本政府としては、このような大きなジレンマをかかえていたが、果たして、ポーツマス講和条約締結の９月５日、東京の日比谷公園で小村外交を弾劾する国民大会が開かれ、これを解散させようとする警官隊と衝突し、さらに数万の大衆が首相官邸などに押しかけて、政府高官の邸宅、政府系と目された国民新聞社を襲撃、交番や電車を焼き打ちするなどの暴動が発生した（日比谷焼打事件）。群衆の怒りは、講和を斡旋したアメリカにも向けられ、東京の米国公使館のほか、アメリカ人牧師の働くキリスト教会までも襲撃の対象となった。結局、政府は戒厳令をしき軍隊を出動させた。こうした

騒擾は、戦争による損害と生活苦に対する庶民の不満のあらわれであったが、講和反対運動は全国化し、藩閥政府批判と結びついて、翌１９０６年（明治39年）、第１次桂内閣は退陣を余儀なくされた。

ルーズベルト大統領の意向を受けてエドワード・ヘンリー・ハリマンが来日し、１９０５年10月12日に奉天以南の東清鉄道の日米共同経営を規定した桂・ハリマン協定が調印されたが、モルガン商会からより有利な条件を提示されていた小村外相の反対によって破棄された。

清国に対しては、１９０５年12月、満州善後条約が北京において結ばれ、ポーツマス条約によってロシアから日本に譲渡された満州利権の移動を清国が了承し、加えて新たな利権が日本に対し付与された。すなわち、南満洲鉄道の吉林までの延伸および同鉄道守備のための日本軍常駐権ないし沿線鉱山の採掘権の保障、また、同鉄道に併行する鉄道建設の禁止、安奉鉄道の使用権継続と日清両国の共同事業化、営口・安東および奉天における日本人居留地の設置、さらに、鴨緑江右岸の森林伐採合弁権獲得などであり、これらはいずれも戦後の満洲経営を進める基礎となり、日本の大陸進出は以後いっそう本格化した。

付記―12：「新脱亜論」、渡辺利夫、文芸春秋社、２００８

文明の生態史観（梅棹生態史観）を拠り所とする渡辺は中国・韓国等との同盟には懐疑的であり、アメリカとの同盟の強化を今後の日本のとるべき道であると以下のように述べている。

日米同盟を基軸とし、台湾、東南アジア、インド、更にオーストラリア、ニュージーランドを加え、これらがユーラシア大陸を牽制しながらみずからの生存と繁栄を図るという生き方が賢明な選択であることを、日本の近代史の成功と失敗は教えていると私は思うのである。（p．２７２）

付記―13：「アジアの世紀」、進藤榮一、岩波新書、２０１３

渡辺の「海洋国家同盟」に異議を唱える進藤は、次のように述べる。

もはや欧米先進国が先導するＧ７やＧ８の時代ではない。……Ｇ20の時代へ突入した。その新たなＧ20の時代を、アジア力―総体としてのアジアの力―が牽引する。（Ｐ．10）

2―2　ＷＧＩＰの呪縛

終戦直後昭和20年、米国政府は連合国軍最高司令官に対し11月3日、日本占領及び管理のための降伏後における初期の基本的指令を発した。「貴官は、適当な方法をもって、日本人民の全階層に対しその敗北の事実を明瞭にしなければならない。彼らの苦痛と敗北は、日本の不法にして無責任な侵略行為によってもたらされたものであるということ、また日本人の生活と諸制度から軍国主義が除去されたとき初めて日本は国際社会へ参加することが許されるものであるということを彼らに対して認識させなければならない。彼らが他国民の権利と日本の国際義務を尊重する非軍国主義的で民主主義的な日本を発展させるものと期待されているということを彼らに知らせなければならない。貴官は、日本の軍事占領は、連合国の利益のため行われるものであり、日本の侵略能力と戦力を破壊するため、また日本に禍をもたらした軍国主義と軍国主義的諸制度を除去するために必要なものであるということを明瞭にしてやらなければならない。（下略）」と命令した。

日本に多大な人的物的損害を与えて戦争に勝利したとはいえ、アメリカは日本の底知れぬ精神力と一途な天皇崇拝に恐怖心を抱いていた。戦後、あらゆる手段を講じて日本を二度と戦争に駆り立てないようにするため、トルーマン大統領はＧＨＱのマッカーサーに12項目の具体的方針「日本人の再方向づけ」を示した。その中でも、「〝米国人が退いた後にも日本人自身によって再教育プログラムが継続される〟ために、日本人自身が再教育のプロセスに積極的に参加することを奨励すべきである」とした10番目の方針が彼らの恐怖心の大きさを表している。

それらの指示の基、ＧＨＱは3つの大きな占領政策を打ち出した。一番目は日本を「戦争犯罪国家」に仕立て上げる宣伝としての「ＷＧＩＰ」（War Guilt Information Program）の推進、二番目は憲法の制定など日本改造の断行、三番目に「東京裁判」による日本有罪の強要と戦争犯罪人の処罰であった。

ＷＧＩＰはトルーマンの10番目の方針と合体して、恐ろしい効果を発揮し、かつ現在でも継続されている。アメリカの目論見を大きく上回る成果が得られたと言えよう。このＷＧＩＰはＧＨＱの民間情報教育局（ＣＩＥ）が所掌していた。これは日本が二度と戦争に立ちあがらせないようにする情報教育であった。「戦争は絶対に起こしてはいけない。平和が最重要」と教える時、「今次大戦は日本が始めた。アメリカも中国も悪くなかった。戦争の中で日本は多くの残虐な行為を行った。」と言う暗示を潜在意識に植え付けた。

終戦直後「野蛮な戦争犯罪国家」に貶めようとしたが、日本人は戦争に対し贖罪意識をほとんど持っていなかった点が、特に当プログラム導入の契機である。日本人は敗戦の理由を科学力と資源（経済）が劣っていたからだとの信念を持っていた。戦後しばらくは現在と異なり、「自虐意識」が全くなく、この事実を覆すため、ＷＧＩＰは数々の心理作戦を立てた。

まず、「大東亜戦争」「八紘一宇」等の用語の使用禁止、新聞各紙にＧＨＱが提供した「太平洋戦争史」の掲載、ラジオでは「真相はかうだ」を放送した。全て日本軍が行ったとする〝極悪非道〟を強調する内容であった。そして、軍国主義は日本の伝統であるとして、その排除のための再教育が必須であるとした。そのため、天皇への忠誠心、国家観等の解体に着手した。また、教育内容も根本的に改革し、「修身」「歴史」「地理」の教育を廃止した。また、児童に教科書の黒塗りを強制し、軍国主義とみなされた教職員らを追放した。更にＧＨＱは戦前の歴史を抹消し、「史実」と異なる歴史を教育に持ち込んだ。

教育の徹底的改革のため、文部省主導で「教職員適格審査」を制度化し、反する者は容赦なく除籍した。主権が回復した昭和27年、この勅令は廃止される法律が定められたが、その後の通達で「占領政策の終了とともに、その目的とした軍国主義的・国家主義的な影響が払拭されたか甚だ疑問だ」として〝適格審査〟は続行された。その体質は現在も残り、大学では安全保障や国防に関する研究は未だに拒否されている。ＧＨＱによる「再教育プログラム」は現在も尚忠実に実行されていると言える。

ＧＨＱはマスコミ界も改造しようとした。朝日新聞が原子爆弾の非人道性を昭和20年9月14日に訴えたところ、マッカーサーが激怒し、当新聞を二日間の発行停止とした。これを契機に「プレス・コード」が発令され、全ての出版物は厳しく検閲されることとなった。この指令は新聞、書籍、映画、放送などあらゆる出版物を対象に徹底的に実施された。マッカーサーは自分たちの監視下で効果的な宣伝機関に仕立てあげ、都合のよい内容のみを掲載させることに成功した。ＷＧＩＰはかくの如く、教育界、マスコミ界を手足として、日本人の洗脳を行い、更に今でもその影響は計り知れないほど行き渡っている。近年、省庁、役所、企業、更には大学や研究所、等における不正の露顕、欺瞞、不道徳のニュースが氾濫している。しかし、最も影響が大きかったのは日本人の宗教観とも言える「カミサマ（自然の摂理）」との距離が大きくなったことである。「カミサマ」の恩恵で生まれてきた幸福、日々の恵まれた生活に対し感謝の気持ちを持つと共に、その恩に報いるために日々誠実に生き、人生の中で祖先から引き継がれている子孫を残すという義務を履行することが疎かにされてきた。「カミサマ」の恩恵を感じなくなってきたことが少子化の原因である、とも言えよう。

確かにこれらはＷＧＩＰの影響であるとは言えるが、戦前の日本人とは全くかけ離れた国民になった、と断定するのは早計だ。ＷＧＩＰはパンドラの箱を開けただけかも知れない。武士道を地でいく正義感に燃えた聖人のような日本人がいたのは間違いないが、そのような人は今でも存在する。思い出さねばならないのは、悪徳行為を働く日本人は昔も現在同様に存在していた。「恥の文化」と喝破したルース・ベネディクトは「菊と刀」で文化人類学の観点から戦前の日本人を分析している。曰く、「人の目に付かないところでは日本人は罪の意識が働かない」。「菊と刀」については次節で再考しよう。

西洋を発祥地とする近代文明は日本を含む世界を大きく変貌させ、物質的な豊穣をもたらした。しかし、同時に広められたゆがんだ民主主義は行き過ぎた個人主義を蔓延させ、愛他精神を育んできた共同体を空洞化させ始めた。追い打ちをかけるようにデジタル化、映像化はコンピューター、スマホ（携帯電話）等による疑似空間、バーチャルワールドのビッグバンを招いた。その中には膨大な情報が提供されており、瞬時に必要とする情報へのアクセスを可能とする一方、その現実は、自分の脳でじっくり考え、自分の考えを持つことを不必要とさせる。更に、ＡＩ（人工知能）の万能性は人々を虜にし、ますます人々はリアルワールド（現実世界）からバーチャルワールドに入り込み、そこをねぐらにし始めたのである。その流れの行き着く先は誰も想像がつかず、想像しようとさえしない。自分で考える努力を放棄し始めたのである。現実世界の曖昧さ、不確実性、多様性をＡＩはあざ笑うが如くである。しかし、仮想空間は肉体を鍛えない、食料を生産しない、人々の生きる知恵（注１）を育まない。

特に、現実世界で起こっている紛争を解決しない、武器、核兵器の廃絶どころか拡大に寄与する。これらの事実からは西洋文明、近代文明の終焉さえ予感される。西洋には人々、地域に根ざした伝統文化が今でも息づいているが、文明が文化を蝕み始めている。その帰趨は経済の衰えであり、そう言えば、日本はその先駆けであり、先進国でさえあろう。生産性の凋落、少子化の加速、個人と組織の道徳観のかげり。この流れを変えようと国（政府）もあらゆる手段を駆使しているが、右肩は下がり続けている。唯一可能性が考えられるのは、現実世界の価値を復興させ仮想空間とのバランスをとることである。現実世界の復活、現実世界の利点、長所を再発見し、それらを温め、育み、波及させる。スマホに夢中になる子供を現実世界の喜び、楽しみに気付かせ、自分の頭でねばり強く考える習慣をつけさせる。そのすばらしい現実世界は一体どこにあるのだろうか。それは日本の都会を離れたふるさとにある。故郷、古里の心を打つ景観と情景、心を和ませるふるさとの空気こそ現実世界のすばらしい点である。五感を通して触れるふるさとの心地よさ。そこでこそ精神の復活が期待できる。

戦後、ＷＧＩＰの影響で個人主義が行き過ぎた日本を救うのはすばらしい景観やふるさとの各種の要素である。絵に描いた餅にならないよう、次章で深く論議しよう。

当節の最後に触れておきたいのは、ＷＧＩＰ（戦争責罪周知徹底計画）を拭い去るプログラム、例えばEradication Program of War Guilt Sense（戦争責罪根絶計画）あるいはExit from War Guilt Sense等が必要である。政府が識者数人を指名し、ＷＧＩＰがどのような物であったかをまとめ、国民に知らしむだけで十分であろう。戦争罪悪感、自虐観を拭い去るためにはＷＧＩＰを知ることに加え、逆説的ではあるが、日本が犯した戦争犯罪事実を正確に知らねばならない（注２）。しっかり戦時中の行い・事実と向き合い、反省すべきは反省し、同時に対戦相手の行いを国際法の観点から見直し、客観的にマクロ視野から再評価することで自虐観から抜け出せるであろう。

（注１）智恵は、人としてのありようや、豊かな人生の設計・マネジメント・理解の方法に関する知識を組織化し統合するための、認知的・動機付け的なメタヒューリスティックス（問題を解決するための経験的な方法を意味し、その枠組みや総称）と定義され、成人期以降に出現し高まる能力。

（注２）例えば、タイ麺鉄道工事に多くの捕虜、現地人を過酷な労働に付け、捕虜の約１万６０００人、現地人の約６万人が命を落とした。バターン死の行進他、フィリピンでは多くの虐待、虐殺が行われた。南京では捕虜（便衣兵と見分けのつかない平民も交じっていた可能性が大）１万人程度を裁判にかけずに処刑したのは事実に近い。この事実は捕虜の食糧が無かったためと言われているが、その食糧、兵站も準備せず無謀な戦争に走った日本国の責任であることは間違いない。（もちろん南京において30万人の平民を虐殺したと言うのは、後の中国アメリカによる諜報活動の結果であるが。）

2―3 「菊と刀」再考

『菊と刀――日本文化の型』におけるルース・ベネディクトの結論は以下のように要約される。

「(日本人は)自分の行動を他人がどう思うだろうか、ということを恐ろしく気にかけると同時に、他人に自分の不行跡が知られない時には罪の誘惑に負かされる」そして日本人は道徳の絶対的基準を持たず、罪の意識を持たず、「悪い行いが『世人の前に露顕』しない限り、思い煩う必要はない･･･恥の文化」を持つ。

長野晃子は著書『「恥の文化」という神話』の中で、『菊と刀』を綿密に一つ一つの言葉を解体し、科学的根拠を追求しようとした。そこで明らかになったのは、「日本＝恥の文化」は確かな根拠にもとずく科学的「発見」ではなく、ベネディクトの科学的装いをこらした念入りな「創作」である、ということだった。

長野の分析は論理的であり説得力に富む。爾後、このベネディクトに対する長野の論説を著者も共有してきたため、この日本文化の型に対する考えは棚に上げられ、ほこりを被っていたのである。しかし、近年、省庁、役所、企業、更には大学や研究所、等における不正の露顕、欺瞞、不道徳のニュースが氾濫し、棚上げされていた「日本文化、日本人の道徳観」のほこりを払って再考せざるをえなくなってきている。オリンピック事業の談合、自動車製造企業の不正検査、食料の不正輸入と偽装、賄賂の横行、省庁の組織エゴ、警察の不正隠蔽、女性科学者のウソの発表等々、日本人の誇りを貶めるようなニュースが後を絶たない。組織の不正に止まらず、個人単位でも最近はコロナの給付金詐欺等に象徴されるように、発覚さえしなければ恬として恥じる行いとは考えない。ニュースになるのは一部の人間だけか、とも思われるが、身近でも交通違反等は日常茶飯事だ。スピード違反の経験のない者はほとんどいないのではないか。ベネディクトの言う日本人の二面性は真実味を帯び始めた(ボックスー1参照)。ゴミの不法投棄は個人レベルでも目に余る。道路わきに捨てられたゴミ袋を見れば、西洋のみならずアフリカ諸国にも劣る道徳観と言わざるを得ない。

ボックス－１

先日、後期高齢者向け自動車講習を受けた。実技講習の中で、「止まれ」の標識では厳しく字義通り停止線前に止まるよう指導されていた反面、30 km 制限の道路では「プラスマイナス 10 km 程度で走ってください。」と指示された。つまり、実態の速度違反についても「相当な速度超過」以外は常識の範囲で、と言うのが共通理解のようである。場所によっては 20 km オーバーでほとんどの車が走行しており、私もその流れに乗った走行をする。追い越し禁止区間で対向車が多い時は、止まって後続の車をやり過ごすより、流れに乗って走る方が安全の場合が多い。実際そのような場所で速度違反を取り締まるケースはほとんどない。これは千葉県だけの特殊なケースとも思えない。

それにしても、個々人の常識の範囲で違反が認められるという実態は「遵法精神（コンプラアイアンス）」を蝕み、「動機至上主義」に繋がるのではないか。動機さえ正しければ何をやっても構わない、と言う昭和初期の２２６事件を起こした若手将校の行動原理に通底する。

社会ルールも自分の都合と考えで如何様にも捻じ曲げられる、と言う社会では、見つからなければ何をやっても良いという心理状態はますます助長される。正に現代日本社会の実態を表している。

この状況を是正するには、実態の交通事情にあった速度制限に緩和し、一方で隠しカメラ等で厳しく違反者を取り締まる以外にない。その時初めて速度制限の交通標識が意味を持ち始め、人々は納得してルールに従うようになるのではないだろうか。

明治末期、新渡戸稲造は「武士道」を英文で出版し、日本人の基本的道徳観であると明言した。他人のみでなく、自分に対しても嘘はつかない、つまり、裏表のない誠実さが江戸時代頃からの武士の、日本人の特徴の一つであるとした。その道徳観は「修身」教育や家庭でのしつけを通して子供たちにも伝えられてきた。その伝統は確実に大戦末まで継続されてきた、と信じられる。ベネディクトの「菊と刀」は終戦直後に書き始められ、次の年に完成し発表されているが、これは真逆の評価であった。果たして、彼女の書は長野の分析通り、完全な「創作」であったのか、あるいは日本人の本質（の一端）をあぶり出したのだろうか。

江戸時代直前まで日本は戦国時代で、「下克上」は当たり前の思想であり、敵のみでなく味方さえも欺くことは日常茶飯事であり、恥じる行いとはみなされていなかった。徳川時代に入り、幕藩政治においてそれらの動きは安定した政権運営に大きな障害になるとして、武士社会には特に主君に誠実に仕え、身分制度を厳しく守る道徳観を強要した。大陸から持ち込まれた儒教文化の影響が背景にある。身分制度も士農工商までは理解の範囲内であるが、更にその下に、穢多・非人を置いて徹底した差別社会を実現させた。もっともこの施策が安定した政権の存続に寄与し、２５０年以上にわたる戦争のない平和な時代が続いたのは否定できない。当時の平和は差別を前提にした平和であり、被差別の人々の犠牲と忍耐の上に成り立っていたと考えられる。言い換えれば恵まれた人々のみの平和であった。

一方、賄賂が横行しており、その有無、あるいは多寡が嫌がらせや苛めの原因となっていた事実もあるようだ。また、権力の悪用、乱用に罪の意識は希薄だった。今でいうパワハラだ。また、灌漑事業等の土木工事に競争入札が始まったのは戦国時代、16世紀末であるが、談合がその頃から始まったという説もある。

もちろん、武士道の名に恥ずかしくない人物が少なからず存在していた事実も否定できないが、当時の社会全体が不正、「罪」を罰し、制御することは困難であったようだ。商人の世界も同様に、彼らは権力に擦り寄り、その庇護により他より有利な地位、権益をものにしていた。当時の江戸社会、特に庶民社会が世界的にも平和で文化が発達した世の中であった一面は否定できないが、権力の中枢であった武家社会が道徳的に秀でており、武士道の正義が国の隅々まで行き渡っていたとは言い切れない。

明治維新はその体質を変えるために始まったのではない。維新後の「解放令」も差別をそのまま残し、江戸時代の体質、つまり権力の悪用・乱用の風土は保たれ、遂には軍部がその権化となって日本を戦争に導き、悲惨な結果を招いたのである。

さて、ここで海外、特にクリスチャニズムを精神の拠り所としてきた西欧諸国に目を向けてみよう。確かに良心と隣人愛を道徳の中心に据え、勤労の価値を最大限に讃えているそれらの国は愛と成功の物語で溢れている。思い出しても見よう。敗戦後の飢餓に苦しむ日本はアメリカからのガリオア・エロア（注1）等の食糧援助で人々が救われた歴史は記憶に新しい。これらの美談は枚挙にいとまがない。しかし、ここで我々は立ち止まる。終戦間際の無差別都市爆撃や二度にわたる原爆投下は何だったのか。彼らが言うところの良心と隣人愛の精神から最もかけ離れているどころか国際法にさえも違反していたのではなかったろうか。権謀術数的なこの振る舞いはマキアヴェリズムとして古くからの西欧諸国の政治的な手法の一つであった。騙されてはいけない。そう言えば、ガリオア・エロアは日本人の多くは「贈与」と感謝の念で捉えていたが、何れも返済義務の伴う資金貸与であり、サンフランシスコ平和条約締結後、米政府は日本側に返済を再三にわたって求めてきた、と言う経緯もある。

さて、ルース・ベネディクトはその原爆投下を正当化する大義名分を文化人類学の衣にまぶしてアメリカの政治中枢にすり寄ったのではなかったか。東京裁判において西洋から参加した多くの判事は彼女の書により多大な精神的安心感を抱いて被告の論理と釈明を全く無視して日本人を裁くことができた。一方、非西洋であるインドから参加したパール判事のみが東京裁判の疑義を問うたが、その判決文は遂にその裁判では取り上げられなかった（後日、それらは日本で出版され、多くの賛同者を得た）。

ここで指摘したかったのは、「西洋の方が欺瞞の度合いが大きいではないか」、と言う比較評価ではない。この二枚舌のうち、正義の仮面をかぶった舌で言いくるめられたＷＧＩＰが日本人の心の中に浸透し、昔から保持していた陰での不正に正当性を与えるようになってきた、のではないかと言う点である。つまり、ベネディクトが指摘した日本人の性質は、彼女の書の評価はおくとして、あるいは部分的であるにしても的を射ているかもしれない。ところで、感謝の気持ちの表明である贈り物は賄賂とは根本的に違う。単に金銭か品物かというレヴェルに止まらない。微妙な性格ではあるが、個人利益に結び付けようとする邪まな意図を含めば、賄賂の性格を帯びる。近年、日本の会社や組織では贈り物を拒否する規律が行き届きだしたり、権力の横暴を許さないようにセクハラ、パワハラ等は厳しく罰せられるようになってきた。それにも拘らず、陰での不正は根絶できていない。近年、談合を規制するため数々の制度改正、法整備が行われたが、依然談合は続いている。談合の被害額について公取委委員長は18・6％という数字を推定しているが、一般的には20％程度とみられている。この違反対象売上高の課徴金は２００５年の独占禁止法で大企業10％、中小企業４％に上げられたが、違反が発覚して支払ったとしても半分、10％が利潤として残る計算であるため、「談合はやり得」である（梶原）。このように政官財の癒着と私物化は今日も続いており、一般国民に少なからざる損害を与えている。極め付きは世界の祭典、２０２０オリンピックを舞台とした談合事件である。この事実こそ、健全な競争原理を殺ぎ日本の生産性を悪化させている張本人だと推測される。シンガポールの経済発展は、専制的な政治である点を考慮するとしても、厳しい規則と取り締まり、その上に行われる健全な競争の結果ではなかろうか。

上記を俯瞰すれば、近年の組織、個人の不正の根元は以下のように考えられる。

（1）江戸時代に培われた武家・商人社会の悪弊、差別意識は、明治以後も日本人の精神の底に澱んでいた

（2）戦前の政治体制、制度、道徳観のほとんどを全面否定したアメリカの戦後統治は7年間続き、その間に施行されたＷＧＩＰは日本人を洗脳する過程で、特質を削ぎ落としただけでなく、意図せず旧来の悪弊を記憶の底から引きずり出してしまった

（3）引きずり出された悪弊は民主主義・個人主義との相乗効果により暴走し、利己の動機が利他のそれに優先するよう

になった

（4）一方、次世代の人格形成を担う教育がWGIPの再生産・拡大の場であり、教師から生徒たちに確実に受け継がれていく。しかし、教育は単にその時々の政治や社会の価値観を反映した内容を伝えているだけであり、教育が単独でWGIPを後世に伝えようとする意図は持っていないのではないか

（5）宗教（特に新興宗教）が時折一部の人間（達）を悪に走らせるが、ほとんどの日本人の宗教観（カミサマの存在）は希薄化し、それに伴って僅かに残っていた良心さえも朽ち落ちていったのではないか

（6）人々の動きの活発化に伴い地域共同体の絆も解体され始め、特に若者は個人主義に逃げ込み始めた

それらは互いに関連しあって現代の日本社会の道徳と正義に影響しているため、不正の横行は上記全ての理由の複合的産物と考えるのが妥当だ。単純に組織も人の集まりと考えると、不正を働くのは正規分布の左寄りの人たちのみであり、ほとんどの人は不正と全く関係なく日々を過ごしている（組織中の個人はフリーの個人と異なり、組織の思惑を大きく受けて組織人となっているが、ここではテーマを逸れるので論じない）。その正規分布の中心・平均値が戦後急速に左に移動（悪化）し始めた。指標の一つが道路等の公共の場に捨てられるゴミであろう。人が通ってない時に捨てられた道路わきのゴミを見ると、ベネディクトの論（日本人は世人の前に露見しない限り・・・罪の意識が働かない）は正鵠を射ているように見える。海外の多くの国の倫理感に比して少しはましかとは思われるが、確実にそれらに近づきつつある現実は憂うべきだ。

唐突ではあるが、諜報活動のことを考えてみよう。今次世界大戦で日本が大敗した一理由に諜報活動の失敗がある。失敗と言うより不器用と表現した方がよい。重要視する度合いが他国、中国、英米諸国等に比べ格段に劣っていることの方が大きい。陰で相手国の動勢を不正に入手し、陰で偽の情報を流し、相手の政治や世界の情勢に影響を与える、という国

を挙げての不正手段である。また、陰で相手国の打倒をねらう戦略を練る。米国の「オレンジ計画」が良い例である。

このようにみれば、人目に付かない限り、日本では個人レベルで不正を考え、世界は集団で、あるいは政治レベルで不正を謀る、のではないかと想像される。

結論を要約しよう。全ての日本人の遺伝子一部には古来より不正の思惑と差別意識が刷り込まれており、戦後WGIPはそれらを染色して活性化させた。一方、それらを言動に移す度合いはその時々の空気に影響され、かつ大きな個人差がある。完全に抑え込んでいる人達の方が今のところ多いが、抑えきれなくなった人達が増加しつつあり、個人であるいは組織で社会問題を惹起している。

その風潮を是正し、人間性豊かな日本人を創り上げ、誇り高い日本を実現するためには、一人一人が「不正と差別」「卑怯な」意識、遺伝子が心の中に巣くっている事実に覚醒し、日本人に備わった別の遺伝子一部、和を重んじ他を思いやる心で、不正の思惑と差別意識を抑え込む努力が求められる。そして、その努力を支援しそれらのない社会を実現するために政府は早急に対策を講じることが求められる。具体的には；

1．裏表のない人格形成のため、教育にかつての「修身」の納得いく部分のみを取り入れ、現代社会に沿った内容とする（注2）。

2．政府は第二次世界大戦の総括を行い、公式に戦争の動機、戦争回避の努力等戦前の歴史、戦争中の出来事等を隠さず表明し歴史に残すようにし、内外に表明する（注3）。

3．陰で不正をはたらくのは割に合わない制度とする。（ボックス—1の通り、実態にあった交通ルールとし、遵法精神に則り違反には厳しい罰則を与える）

4．英語教育は中学校からとし、小学時代は徹底的に日本語を学び、日本文化、価値観を内面化すると共に日本人の誇りを持たせる（注4）。

5．日本人は世界の中でも特異な体質である事実を日本人自身が自覚し、内外に情報発信する。（ボックス―2参照）。

ボックス―2

脳内の神経伝達物質であるセロトニンを運搬する遺伝子（セロトニントランスポーター遺伝子）には長いL型と短いS型があり、そのタイプはヒト集団（大陸系統）で違いがある。アフリカ系やヨーロッパ系はL型が多く、東アジア系はS型が多い。とりわけ日本人は、世界の中でも飛びぬけてL型が少なく、外向性が低く（内向的な）対人関係に過敏になり、「風土病」と呼ばれるほどにうつが蔓延する。S型は人口稠密な農耕社会の緊密な人間関係の中でうまくやっていくために、相手の表情や仕草に素早く反応するように進化した結果なのだろう。世界で最もS型が多い日本人は「神経症傾向が高くうつ病になりやすい」という宿命を背負っているが、それと同時に、ささいな変化やちょっとした出来事を敏感に感じ取って優れた文化や芸術作品を生み出し、つましくも満ち足りた人生を送ることもできるのだ。（スピリチュアルズ「わたし」の謎、橘玲、幻冬舎）

（注1）ガリオア（Government Appropriation for Relief in Occupied Areas）、エロア（Economic Rehabilitation in Occupied Areas）。

（注2）本来の日本人は宗教的道徳観を有しており、義務教育に徳育の要素を入れることで子供たちは正しい道を理解・実践できるようになる。日本人の場合、道徳や正義感には特に宗教は必要ない。儀式は別である。

（注3）戦争で行った日本軍の残虐性を明らかにすると共に、米軍や中国国家と兵士の国際法違反と非人間性も記録に残す（日本人に限らず、全ての人類は残虐性を心の片隅に持っている事実を共有する）。

（注４）ネイティブ・スピーカーによる英語教育、特に英会話は完全に西洋文化の優位性を生徒たちに植え付ける催眠術である（本人たちは全く意図していないが、言葉は文化を伴わずに話されることはない）。英語は Japanese English で十分外人と対等に対話ができる。それが出来ないのは、差別意識の裏返しである劣等感のためだけである。日本人の長所、短所を完全に理解すれば、ＷＧＩＰ払拭の助けとなろう。

2—4 「ふるさと」の復活

1. 現実空間としての「ふるさと」

前節でバーチャルワールド（仮想空間）の拡大が多くの弊害を招き、特に子供たちの道徳観や忍耐心を蝕む点に言及した。その仮想空間の欠点を補うのは、現実空間での体験である。自然と人とが長い時間をかけて融和し創り上げてきた心和む田舎の風景こそ現実空間であり、「ふるさと」を感じる場所である。足で歩くような速度でしかないが、その経験は生身の体、五感が感応し、心身が活性化するのみでなく、人としての慈しみ、喜び、感激、郷愁等を惹起する。経済を離れ、自然や人との交わりの中でこそ真の人間性が育成される。特に幼い子供たちにとってこの経験は血肉になって、一生の心の豊かさを育む。里山、里地のみでなく、海に面した漁村、公園や街路樹、更にお地蔵さんや小さな祠等を含む街角、田園地帯、牧草地、疏水、貯水池、自然や農業と融合した景観、これらの地域が「ふるさと」の一部である。そこが人々に心の安らぎと憩いの場を提供すれば、公機関のみならず自治組織もそこを清潔に保ち、治安を保ち、安心・安全な場として経済の荒みも洗い流してくれる。市町村が「ふるさと」になりうる地域を特定し、地域住民の意思を確認しつつ景観の保全、景観美化を伴う開発を行えば、都会の若者を魅了し移住への動機付けが行われる。既にそのような動きは各地で観察されている。また、政府は「デジタル田園都市国家構想」の5カ年総合戦略を閣議決定した（令和4年12月下旬）。地方自治体への移住者を年間1万人とする目標も打ち出した。この動きは「ふるさと」創生に繋がる大きな契機となろう。

一方、大きな課題となっているのは農林水産業の衰退である。昔ながらの個人の農家は脆弱な立場だ。資機材の協同購入、生産物の協同販売で農家が安定した収入を得られることを目的に、昭和22年農業協同組合が設立された。しかし、現在その農協は一企業となり、農協自らの繁栄を最優先目標としている一方、組合員たる個々の農家、特に資本の少ない零細農家の繁栄には冷ややかな姿勢を示すのみである。その結果、そのような農家の後継者は農業に見切りをつけ、農地は縮小の一途である。耕地及び作付面積統計（農林水産省統計部）によると、令和4年耕地面積は432・5万haで、ピーク時の昭和36年608・6万haから実に176・1万ha（28・9%）も減少している。荒廃農地の増加が主原因であるが、最も多い理由は「高齢化・労働力不足」で23%、次いで「土地持ち非農家の増加」で16%、三番目は「農産物価格の低迷」が15%となっている。荒廃農地の増加は農業の付加価値である景観の質の低下を必然的に伴い、「ふるさと」の劣化を象徴する。帰農者や新規就農者も若干見られるが勢いは弱く、農地減少を食い止める決め手になっていない。増加中の輸出農産物は有望であるものの、ホタテ貝等の水産物の他は、りんご等の青果物、ウィスキー、日本酒が中心であり、小規模農家が個別に短時日（数年内）に収益を上げられる品目は限られる。農業は「ふるさと」復活のための必須要素であるため、農業振興に向け、農協を始めとする関係機関の努力に期待される。

とは言うものの、日本の田舎は相対的に未だ美観を保っており、近年は海外からの観光客も昔ながらの観光地から、このような美しい空間を擁する田舎に日本の良さを見出して訪問し始めている。「ふるさと」がキーワードであるが、ここで少し「ふるさと」を振り返って考察してみよう。

2.「ふるさと」多義性

ふるさとは　とおきにありて　思うもの・・・、と室生犀星は謳った。

かの有名な唱歌「ふるさと」第一番では「かの山」や「かの川」を遠くから懐かしんでいる一方、第三番では、「こころざしを　はたして　いつのひにか　かえらん　・・・」と歌詞が続く。志を持ってふるさとを離れ、そのふるさとを心の灯台とし、いつか帰ることを夢見つつ刻苦勉励する人生が目に浮かぶ。「ふるさと」に対する相反する感情、何れも首肯し得るし、実は矛盾しない。

「ふるさと」と「故郷（こきょう）」は同じ意味の場合もあるが、「ふるさと」には「こきょう」に無いニュアンスが含まれる。それがスーパー大辞林による「ふるさと（古里、故郷）」の第二の意味「精神的なよりどころ」である。また、講談社、日本語大辞典第二版中の「ふるさと」第二の意味は、：（比喩的に）よりどころとなったり、安らぎを得られるところ、である。

つまり、第二の意味の「ふるさと」は心の中に形成される精神的な落ち着き場所である。それは、主に生まれ育つ過程で具体的なイメージとして魂の中に形成される。「帰るところにあるまじき・・・」と謳うときの「ふるさと」は「生まれ育った場所」を指し、そこに帰らないことにより、「心のふるさと（安らぎを得られるところ）」をより純化させ、より明るい励ましの灯火としようという悲壮な決意の表明である。時空間で離れるほどに、郷愁（ノスタルジー）の感覚は漸増し、恋焦がれる気持ちが強くなるが、それは生まれ育った「ふるさと（こきょう）」である。「こきょう」は単純に「生まれ育った場所」として正確に英訳できるが、その英語彙は「ふるさと」第二の意味合いを含まない。

新和英大辞典第四版（研究社、増田綱主幹、１９７４）による「故里（ふるさと）」

One’s home; one’s native place; one’s birthplace. ￥ 心の～ a place dear to one’s heart; one’s spiritual home.

one’s spiritual home などは「ふるさと」第二の意味に近く、「心のふるさと」と言えば redundancy（反復）の感なきにしもあらず。つまり、「ふるさと」という語は日本人特有の感情表現であり、特に幼少期、生まれて生活や遊びを経験した土地、村、町、田畑、自然の景観等が（心の拠り所としての）「ふるさと」の原型となり、心の中に形造られる。しかし、初めて訪れる場所でも魂の中の「ふるさと」の感覚を喚起する時もある。海外にもそれに相当する語があるかも知れないが、浅学の著者は接した覚えがなく、海外で見聞した経験もない。

3．歴史の中で

少し歴史を振り返ってみよう。人（ホモ・サピエンス）は現在の日本列島に主に三つのルートから辿り着いたとされ、寒冷な「最終氷期」が過ぎ海水が上がって再び大陸から離れて日本列島が形成されてから隔離され、独自の日本人集団が形成された、というのが旧来からの定説である。一方、約3万8千年前、当時も陸続きにならなかった沖縄に、大陸と陸続きであった台湾から何らかの船でたどり着いた可能性もあるとの研究が近年発表された。我々が「旧石器人」と呼ぶ彼らは森林や原野、あるいは海で狩猟・採集して生活していた。その後土器を作り始め、少なくとも1万6500年前からは火を使い煮炊きを行うようになり、土器の文様から「縄文人」と呼ばれるようになった。当時の遺跡や貝塚の跡からは集落の発達が窺え、一万年以上の期間その様な生活を続けていたとされる。自然と一体となり、その恵みを享受すると共に、厳しい自然災害にも悩まされ、集落で助け合って生き伸びてきた。この自然を畏れ、恵みに崇拝する気持ちは、アニミズムとなって人々の信仰心を育ててきた。一万年以上という長い期間を考えれば、その間に「ふるさと（住んでいる土地）」がアニミズムを深化させ、精神の中にも安らぎを得られる場所としてのシンボルが形作られたであろうと想像される。

後に稲作が大陸から伝えられ、弥生人と呼ばれる外来の人が遷り来た後も、自然崇拝の宗教心を中心とした集落の生活の中に新しい瑞穂の景観を内面化し、米を中心とした祭礼が増えてきた。このように「ふるさと」の景観・様相が大きく変わってきたが、集落と取り巻く自然環境、そしてそこに住む人々を「ふるさと」の核にしようとする伝統は引き継がれたのである。

その地から離れる時も、「ふるいい」「さと」は心の中に保たれていた。日本語の「ふるさと」が日本人の中で確立した経緯である。時代が過ぎ、漢字が日本語の表記に取り入れられ、「ふるさと」に故郷の字が当てられ、音読みの「こきょう」が同じ意味で使われ始めたが、それは単に生まれ育った地を意味するに止まった。

4.「ふるさと」の深化

そのように、古来からの日本語、「ふるいさと、ふるさと」は一万年以上に及ぶ自然との共生期間に、宗教心と一体となり、生まれ育った地の他にも精神の拠り所を指す言葉となっていた。現代でも「ふるさと」と言う響きの中に自然との共生や郷愁（ノスタルジー）を感じ取ることが出来る。この感覚は初めて訪れた場所でも喚起される時がある。心のふるさと、と言う時は反復の感もあるが、正に精神の生まれた場所、帰り着く場所、生きる拠り所、等の強調された意味と理解すべきだ。

それは抽象的な空間（カトリック等でいう天国等）ではなく、具体的な景観、風景でなる場であり多くの場合生まれ育った地が相当する。自然環境が背景にあり、人々の生活がその中に織り込まれており、その人々、友垣も「ふるさと」の重要な一部である。自然の摂理、つまり季節と共に移ろう山川・原野・田園風景とその中の生態系（動植物）及び人々の共生感覚が惹起され、生まれたるガイア（地球）を精神の奥底から実感できる場、が「ふるさと」の核となる。植生を伴わない街を「ふるさと（故郷）」とする人たちがいるが、四季折々の空気・花々の移ろい等が付随し「ふるさと」の要件を満たす。

それは遊びや仕事、又生活の一時期を過ごした場所に対する郷愁と、奇跡的に生物環境が整った地球の中に生まれた喜びを感じる場である。「ふるさと」は街角、海岸、疏水、寺社、公園等を含む場合もあり、視覚以外の五感（聴覚や臭覚、肌の感覚等）を伴うことが多い。

聴覚の例：汽車の音、寺の鐘、波の音、山の音、鳥の声、虫の音、町のさざめき、川のせせらぎ、霧笛、お祭りの種々の音等

臭覚の例：海の香、花の香、線香、土の匂い、樹木の匂い、畳・竈等の家の中の匂い、田圃・畑・森等の匂い、稲・麦等の作物の香り

肌の感覚：潮騒、川の冷気、森・山の精気、囲炉裏の温もり、落葉焚きの暖気、人々との肌の触れ合い、目にしむ煙

5.「ふるさと」の拡がり：

引き揚げ者家族の一員として著者は放浪の途中、大阪の道頓堀に生まれた。1歳半でそこから京都の園部町に引っ越した私に大阪の記憶はなく、当然そこを「ふるさと」と認識したことはない。その後18歳まで園部町から山口県須佐町、紫福村、萩市と居を移したが、その四ヶ所全てが「ふるさと」としての思い出の地であり、郷愁を持って振り返ることが出来る。人にとって「ふるさと」は一ヶ所に限られず、複数である場合もある。また、海外に過ごしている場合、「日本がふるさと」との感懐が生じるのも極めて自然であろう。つまり、「ふるさと」の拡がりは個々人の歴史と、その中で育まれた心の広がりに掛かっていると言える。この事実を敷衍し心が宇宙からの視点を獲得すれば「地球がふるさと」と表現することに違和感はない。

7・8歳の頃、筆者は山陰地方のある鄙びた漁村（須佐町）に住んでいた。小さな漁港が横たわる、穏やかに時間が止まったような空間であった。浜辺には常に海の幸が干してあった。煮干しであり、イカであり、ヒラメであり、天草であった。我々子供は大人たちの目を盗んで、それらの干し魚を口にし、すきっ腹を満たしていた。大人たちは子供たちの振る舞いを見て見ぬふりをしたり、「コラッ」と言いつつ決して追いかけては来ず、子供たちは腹を満たす以外の悪さは控えた。美しい海の風景に溶け込んだその空間では、磯の香の他、干し魚のにおい、海草の新鮮な香り、また、透き通った

青空ではトンビがピーヒョロロと啼いていた。その海岸では夏祭りの夜に花火が打ち上げられ、ほのかな爆薬のにおいに混じり、隣の女の子の浴衣の香も嗅ぎとれた。盆踊りでは歌拍子に合わせ汗みずくで踊った記憶もよみがえる。懐かしさは身体の五感のＤＮＡに刷り込まれ、心の奥深くに「ふるさと」は住み着いている。経済尺度では測れないこれらの心の充足感が日本人の心のふるさととなって生き甲斐を支え、幸福の源泉となっている。

6．「ふるさと」と「カミサマ」

「ふるさと」が自然と不可分である事実から、その関係性の中に宗教心が入り込み、育まれたと考えても的外れではない。村や町を取り巻く自然の中、街角、家の内外等に神々を祀った祠や、石像等が眼につく。「ふるさと」にはそこの住民と共に常に神々が共存している。家や建物を建てるときは地鎮祭を開き、その土地の神に祈りをささげる。また、神社が行う季節の節目の祭り、特に稲作を中心とする作物の栽培の節目の祭り、海や山に関する祈り等々の祭りも「ふるさと」の一風景となっている。祭りの存在しない自治体は無いのではないだろうか。家の中に目を向ければ、竈、ふろ、トイレ等にも神々が住み着いており、そこを「ふるさと」の一部と認識する住民の生活と密接不可分である。「カミサマ」を核とした原初的な信仰、自然現象への敬虔な祈り、等はアニミズムと考えられているが、自然宗教であり教義も創始者もない。ヒロサチヤはこの日本の自然宗教を「ヤマト教」と名付けることを提唱している。

7．「ふるさと」と経済

コモンズとも言われる入会地、共有地、共有林等は自然環境と人との共生作用であり、持続性が担保されている「ふるさと」の一部である。それらは人にも益し、良好な自然環境も保たれる。しかし、近年市場経済の自由化の進展と共に、共同体による経済の追求から個人的な利益優先の行動様式への遷移が上記の自然環境との共存関係を崩壊し始めた。また、「ふるさと」の重要なパートである住民との絆も徐々に崩壊の道を歩み始めている。昔から住民に近く、人々の絆を保ってきた個人商店は大規模商業施設に飲み込まれ、存続の瀬戸際に立たされている。大規模化は資本主義経済の落し子でもある。このように、現在の市場経済は必ずしも「ふるさと」と共生的とは言えない。

8．ふるさと創生事業の結末

ふるさと創生一億円事業は各市区町村に対し地域振興のために1億円を交付した政策である。この「ふるさと創生」という時の「ふるさと」は一体どのような意味で使われていたのであろうか。使途は「ふるさと創生」のためという以外、何の縛りもない。その結果、日本一の自由の女神像、純金製・純銀製のこけし二体の制作、村営キャバレー、高さ28メートルの世界一の案山子等、首を傾げたくなるような事業を実施する自治体もあった。一方、「ふるさと」景観整備に資する例も少ないながら見受けられた。例えば、東加茂郡下山村（現豊田市）ではモミジの苗木約１２００本を購入し、「もみじ街道」を整備したり、松阪市では御城番屋敷の景観整備に利用した。

初代地方創生大臣を務めた石破茂は、著書『日本列島創生論』の中で、竹下登に無駄遣いではないかと尋ねたところ「石破、それは違うんだわね。これによってその地域の知恵と力がわかるんだわね」と明かされ、実施の理由に関する秘話を紹介している。政治トップの中にあってさえ、「ふるさと」に関する深い洞察と未来像は語られてない。

現在進行中の「ふるさと納税」制度も大同小異である。主に都市部から地方自治体への税金の移動は、地方活性化という視点から評価されているが、魅力あるお土産で増加した税金収入で一体「ふるさと」の何を改善するか、という視点での議論が全く聞こえてこない。割安な返礼品を期待した納税者が、対象自治体に対し、その増加分の税金で何をしてもらいたいか、という納税者の声を届ける制度を伴っていれば、少しは「ふるさと」のために貢献するであろうが。

ふるさと創生一億円事業にしろ、ふるさと納税にしろ、「ふるさと」を巡る歴史的視点が弱く、個人消費と経済発展に重点が置かれていると言える。更に、最も重要である点は、地方の主産業は農業であり農業が環境を保全し、田畑、水路や農道等を通して景観の多くを担っている事実に対しての認識が少ない点である。農業が衰退すれば、その地方の「ふるさと」景観も劣化するのは必至だ。農業の役割の中には外部効果として景観の保全、水資源の涵養等があり、住民や訪れる人々に心の安らぎと郷愁を醸成する。農業振興を中心とした「地方活性化」が「心のふるさと活性化」に繋がるような施策が待たれる。

9．第二の意味の「ふるさと」創生

心に抱く「ふるさと」に金のこけしはどのような役割をはたすのだろうか。キャバレーは郷愁を抱かせるのだろうか。びっくりするような案山子が異土にいて思い出す時、涙を誘うような懐かしさを感じるだろうか。「ふるさと」が抽象的なパライソ（天国）でないなら、具体的な「ふるさと」には相応しい景観を伴った時空間がまず必要であろう。また、「ふるさと」が父母、友垣等の人々の要素があり、四季を通じた行事と一体であるなら、お祭りや類似の年間行事の存続と充実も「ふるさと」の深化に欠かすことができないであろう。

10．「ふるさと」の景観

時の流れにより、「ふるさと」の景観が大きく変化、特に近代化や都市化、することほど喪失感が大きいものはない。受け入れざるを得ない施設や建築物も当然存在するが、便利さの追求や経済価値優先が「ふるさと」の景観喪失を上回ってはいけない。景観の変化には、社会情勢も大きく影響する。例えば、自由貿易が進み、人々の主食が変化して水田が放棄されれば、そこは葦やガマ、セイタカアワダチソウ等の原野となり、田舎を走る道路から見る風景から遠景は背の高い草により完全に遮断され、空しか見えなくなる。田園風景は劇的に劣化するであろう。経済視点のみから水田農業を評価するのでなく、外部（経済）要因（externality）への考察が不可欠である所以である。

　また、景観を損ねる商業目的の看板を全廃したり、交通目的の看板も景観を損ねない形と色に変えることも重要である。更に旅館、ゴミ等の処理施設等の施設を景観に溶け込むような設計とせねばならない。無電柱化も進んでいるが、その経費が阻害要因の一つだ。「ふるさと」納税もこの目的に使用されればその効果は絶大だ。あるいは有用木である針葉樹から雑木に植え替えれば、季節に移ろう木々の彩りが村々、町々を取り囲む山並みを化粧し、人々の「ふるさと」心を和ませるであろう。その麓に「ふるさと」資源とも言える瑞穂の稲作地帯、水郷、河川、その河岸の並木、等が空間に配置されていれば、住民の情操を育み幸福感が増大されるのみでなく、都会から来訪した人々とも「ふるさと」の感動を共感することができる。

　このように「ふるさと」の景観を豊かにする要素を最大化すると共に、景観を損ねる要素を最小化せねばならない。そして、それら「ふるさと」トータルの未来像は住民主体で設計されなければならず、多大なコストを伴う場合は公機関との共同事業として取り組むのが理想だ。景観が「ふるさと」の感覚を惹起するなら、訪れる人も増加し、観光事業の振興も期待できる。海外からの観光客が増えれば、日本の人気も上がり、支持する国も増えると期待できる。日本の美しい村を「フルサト、furusato」と呼び、国際語にする案はどうであろうか。英語での定義は次のようになろうか：A rural village which has impressive and beautiful scenery, resilient villagers with hospitability, traditional fiesta or event and sustainable nature, that fulfills spiritual satisfaction of the residents as well as the visitors.

11・「ふるさと」の体感

「ふるさと」は遠くで悲しく歌うのも良いが、現地での「ふるさと」の体感はまた感動を新たにしてくれる。祭りを中心とした自治体の年間行事は住民の絆を強めるのみでなく、訪問した人々にも感動と思い出を与える。これらの振興の重要性が再認識されるのが待たれる。また、河川の遊興への利用促進等、既存の「ふるさと」資源の活性化も効果的だ。遊歩道の整備、高齢者対象のトレッキングコースの整備、展望台兼休憩所等、「ふるさと」資源は発掘、開発すればまだ多くの可能性が存在する。

12．「ふるさと」こそ平和の象徴

「ふるさと（故郷）」が「（心の）ふるさと」であれば、それらを守るために平和の重要性がクローズアップされなければならない。「ふるさと」保全と振興は国民の幸福感の向上につながると同時に、戦争回避への動機が強化される。その国民の強い意思が他国の侵入意欲を削ぎ、戦争回避がより現実的なものになる。他方、他国の「ふるさと」を尊重すれば、それらの国に侵略しようなどとの考えは微塵たりとも浮かばないはずである。真の「ふるさと」創生事業こそ戦争撲滅への長い道程の第一歩であり、究極的に「ふるさと」が実現され共同体がその持続に汗を流すことにより平和の礎が築き上げられる。

日本が「ふるさと」の舞台となる村落共同体モデル創出の最短距離にあることは前著「日本が地球を救う」で述べた。一方、他国と地続きの国境を持つ国々は地政学的に、（現在）国境が全て海上である日本と状況が異なる。「ふるさと」を巡る思惑と政治も当然日本と同じではない。それら国々の歴史と風土が創り上げた「ふるさと」とその「ふるさと」が創り上げた民族性の多様性は多くの日本人の想像を超える。現在進行中のウクライナ侵攻を、戦争に訴えて自国の利益を拡大しようとの意図を、正義と見なす日本人は現在では恐らく皆無ではなかろうか。彼の国の「ふるさと」は、今破壊の直中であり、この事実を容認する日本人は少ないであろう。日本は「ふるさと」を強調し、世界平和の騎手になるべきだ。

2―5　情宣

開発途上国で生活していて、同胞の日本人の言動にある共通した特徴があることに気が付いた。特に飲み会の時などで、生活している国の不満や時に悪口を言い合って意気投合・溜飲を下げる姿を見出す。一方、当該国の人たちと接している時は、相手国を誉めることが多い。著者自身も同様の経験をすることがあるし、特にそのこと自体に異論はない。ここで指摘したいのは、ほとんどの場合、日本の長所や歴史・人物の自慢をしないことだ。逆に日本の短所・欠点をあげつらって、相手側の苦笑を誘う。日本人の謙譲の美徳の一端を発揮しており、特に大きな問題だとは思わない一方、もったいないと感じることが多い。

大使館では、時に日本週間と謳って日本紹介の機会を持つ。日本の伝統や芸術を紹介し、映画等も上映する。洗練されたこのような機会は参加していて心地よい。このような日本紹介を更に内容を豊富にし機会を増やしてはいかがであろうか。

日本の技術・経験・経済に基づいて当該国に赴いているため、日本の誇りを相手に伝えるのに何の遠慮が要るだろうか。海外赴任している商社・ゼネコン社員に限らず、協力事業に携わるＪＩＣＡ職員、国際協力専門家や協力隊員、ＮＧＯ等も大いに日本の宣伝をすべきだ。

一方、日本紹介のメディアが不足している。日本紹介の映画を作り、ＤＶＤにして現地に持参し、機会を積極的に作って上映し、日本を伝えるべきだ。伝統芸能、スポーツ、現代社会、技術、田園風景、学校、芸術、宗教、祭り、都市、等の内容が考えられる。戦争に関しての関心が示された際は、虚心坦懐に我が国の失敗、西洋諸国のかつての悪弊、今後の平和への祈り、等率直に伝えるのが望ましい。

映画上映のために、コンピューターの他、プロジェクター、農村に赴く時は発電機も携えていくようにすべきだ。この目的の一つは日本びいきを増やすことである。日本を理解してもらう、日本に好意を持ってもらう、このことが最終的に世界平和のためになるのは再三指摘した。

翻って、途上国から多くの研修生を受け容れ、各種の研修が実施されている。ＪＩＣＡ研修は実に効率よく、高度な内容を教えており、研修効果は高い。既に多くの研修生を送り出し、各国に帰国後それぞれの専門分野で習得した技術・知識を発揮して発展に貢献している。研修に携わる講師群も真面目で高度な知識を誇っている。全て称賛に値する。ところが、余りにも専門の研修にリジッドで、日本を心から堪能し、専門外の日本を体験するような機会が少ない。例えば、新幹線を経験するのは日本の各分野の連携、協調、時間観念、等の重要性を伝えるのに最適である。これは途上国においても有益であり、研修効果にも直結する。あるいは、ディズニーランド、歌舞伎、日本の祭り等々を経験させるのも日本理解の助けになる。

今後は、あらゆる機会に日本の紹介を行い、日本の理解者を増やし、日本に好意を持ってもらうような戦略を立てるべきである。このような戦略は国連の会議で一票を獲得するのに繋がるものと信じられる。

第三章　国連、特に安保理制度改革

3―1　国連憲章改正

今こそ日本が国連改革の旗手となれ

国際連合は国連憲章第一章第一条1．において、組織の目的を下記のように謳っている。

国際の平和および安全を維持すること。そのために、平和に対する脅威の防止および除去と侵略行為その他の平和の破壊の鎮圧とのため有効な集団的措置をとること並びに平和を破壊するに至る虞のある国際的の紛争または事態の調整または解決を平和的手段によって且つ正義および国際法の原則に従って実現すること。

国の場合、治安維持と平和実現のため警察力を使う。警察官が遍く国の隅々まで目を光らせ、違反者は犯罪者として処罰の対象となる。「国際社会では警察官を受け容れるのは不可避である。それは、国家の平等に逆らっても、戦争を防止し、秩序を守る力は、肯定され、支援されるに値するとの認識からである（違法の戦争、合法の戦争、朝日新聞社、筒井若水、２００５）」。警察官、つまり公権力であり、平和の確保・維持には公権力の導入は不可欠である（同上）。

ところで、主権とは国家が存続し、発展するのに必要と思われる広範囲にわたる行動の自由であり、そうした行動をとるについて、大小国を問わず、他国に強制し、また他国から強制されることはありえないということである。しかし、社会、国際社会には現在公権力は存在しない。その為、主権を実体化するのは個々の国家の力、とりわけその軍事力である。主権が脅かされている、との判断の正当性は、当事国しか訴えられない。従って、主権を守るため、との理由は軍事力の行使を正当化する。つまり、戦争であり、それは正しい戦争とみなされる。条約の文言だけを見れば、現在戦争は禁止されている。このような矛盾が放置されている現状から、紛争が戦争にまで発展しないよう、これまで幾多の二国間、多国間の条約が成立してきた。そして、国際連合は全ての条約の上位に位置付けられているため、国連憲章が最高の法規のような役割となっている。

ところで、アジア・アフリカの独立前は植民地勢力が征服によって得た領域を合法化する理論が国際法となっていた。第二次世界大戦後、植民地の独立気運が高まり、現実化し始めた１９６０年、国連は「植民地独立付与宣言」を採択した。そこでは、「自決の権利」を行使して戦う「解放（独立）」闘争は国連憲章と両立する、と謳っている。

ハーグ平和会議で採択された法（ハーグ条約）によってみるかぎり、戦争を行うについては、原因の正しさを証明する必要はない。どのように正しく戦争を遂行するかだけを問題にする法規であって、戦争の原因については規定していない。「戦争は違法である」「戦争の放棄（日本国憲法）」「戦争は犯罪である（私は貝になりたい）」等と規定してしまえば、自衛の闘いも戦争であるため、「自衛は違法」ということになる。

紛争は当初、紛争当事者国間で交渉され、解決出来ない時は第三者が仲裁に乗り出す。しかし、何れの国の法でも解決出来ない場合、現在国連の国際司法裁判所が裁判を行うが、国家の利益にとって死活的な紛争には裁判解決に同意することはまず期待出来ない。そのため、上位の安保理が紛争を解決することとなっている。

しかし、今回ウクライナへのロシア侵攻に対し、上記のような目的を持つ国連安保理が全く機能しない事実がまたしても暴露された。常任理事国が決定権を保有しているため、我が国は永年国連安保理常任理事国入りを目論んでおり、特に１９９８年頃以降具体策を提示して常任理事国入りに腐心してきた。世界平和実現に貢献したいとの思いは全ての日本国民の悲願である。

　しかし、逆説的ではあるが、その望みを断念することが世界平和への一里塚となる。不可能な望みを放棄して捨て身で訴えるのは五大国：５Ｐ（米、英、仏、中、ロ）拒否権の縮小である。５Ｐの一ヶ国でも法案に反対すればその法案は可決されない現状から、三カ国の反対で可決されないようにすることである。つまり、議案表決に当たり５Ｐの三カ国が同意（かつ非常任理事国の６ヶ国が賛成）すれば、決定される。自由と民主を標榜する国も専制独裁国家も単独での横暴は許されなくなる。つまりＶｅｔｏが無くなるため、ある一ヶ国だけの抵抗は無力となる。振り返ってみれば、国連の設立が話し合われたヤルタ会談の中で決定された戦勝国５ヶ国が拒否権を持つ投票方法は、戦後77年を経た現在、また国連設立以後参加した国の方が圧倒的に多い現実を顧みても、一から協議し直すのが道理であろう。

　その前提として国連憲章第十八章、第百八条［改正］の条項の改正が必要とされる。現況：「・・・総会の構成国の三分の二の多数決で採択され、且つ、安全保障理事会の**すべての常任理事国を含む**国際連合加盟国の三分の二によって各自の憲法上の手続きに従って批准されたときに、全ての国際連合加盟国に対して効力を生ずる・・・」、となっている。この太字部分を「**常任理事国の３カ国を含む**」と改正することが求められる。

　憲章を厳密に解釈して従えば、五大国の一国でも反対すれば憲章改正提議は批准されず堕胎される。ここで日本は、「この改正が実現しない限り、世界平和は未来永劫達成できず、地球は終末を迎える」と捨て身で１９３ヶ国の加盟国に訴えることが望まれる。当然、否決されるのは明らかだ。ここからは日本のソフトパワーによる爆弾が必要である。賛成するであろう１８５ヶ国（内訳は前著）と共闘し、反対する数カ国に対し、提案以外の方法で地球の平和と存続を保証する案の提示を強要する。最適案が可決され（常任理事国の３カ国を含む国際連合加盟国の三分の二によって）批准されれば、その後の必要な憲章変更は円滑に進むであろう。

　憲章改正に五大国の拒否権が使用できなくなった段階で、上記と全く同じように安保理決議の拒否権を狭める。具体的には、第5章安全保障理事会〔表決〕第27条3、……**決定は、常任理事国の同意投票を含む9理事国の……**、を、……**決定は、3ヶ国の常任理事国の同意投票を含む9理事国の……**、と改正するのみである。この提案は上記憲章条項の改正案と同時に提出し、改正の本目的を明確にしていた方が説得力が増すかも知れない。

その後、国連軍とＰＫＯの軍事力強化が図られるが、それは強国による偏った思想や独裁による世界警察ではなく、世界平和を脅かす地域紛争防止・緩和・処理、軍縮、核廃絶、等への強力な調停役の役割を担うものである。現況は紛争当事者国間の協議に任され、必然的に軍事力の強い国の言い分が通ることとなっているが、紛争当事者国の一国からの訴えで国連が調停に関与することとなる。

この国連憲章改正提議のみは日本にしか出来ない。常任理事国入りを断念する決意に加え、日本の数々の特質、歴史、伝統芸能・芸術、技術力、国際協力事業の実績、日本人の凹型の性格、つまり受容・容認・控えめ、妥協的、協調的で他者を慈しむ文化（芳賀）等々のソフト・パワーに加え、非西洋国である事実が強みとなって加盟国、特にアジア・アフリカ諸国の信任を勝ち取り、国連総会における評決の際の一票を獲得することとなる。更にＧ７の一国である事実は常任理事国５ヶ国に対し対等に議論する土俵に上がるのに十分な要件であろう。一連の改革が目論見通りに進んだ段階で、日本はアメリカとの安全保障条約の傘から出て、国連軍事力の強化に資すると共にその傘の下に入るのが望ましい。つまり、軍事的にはアメリカ、中国から距離を置く選択が考えられる。アメリカ、中国、ロシア三国の争いは地球の持続性を貶める癌である。中立的な立場に立つことこそ、日本の究極的な姿勢に他ならない。

著者は個人的には一般的なディベートには否定的である。しかし、国際会議の場では、日本の特質である妥協的態度は理解されないどころか、相手に付け入る隙を与えることにつながる。また、沈黙は金どころか、卑怯と見なされ、無視される。世界平和のための国連憲章改正の際の訴えは、アメリカ人、あるいは中国人になったつもりで超凸型人間となるべきである。また、決して妥協すべきではない。代表者には、世界平和は日本が実現させる、との強い意志と態度を示してもらいたい。

一方、日本一ヶ国での提案では限界がある。必ず共同提案とすべきだ。日本を除くＧ７（米国、英国、フランス、ドイツ、イタリア、カナダ）との共同提案なら申し分ないが、アメリカは疑問符付きだ。ロビー活動で説得出来れば大きな前進だ。その他、Ｇ４の他のメンバー（インド、ブラジル）にも加わるように説得するのが望まれる。その他の国々も参加意欲があるなら共同提案国に加えるのは拒否すべきではない。

日本が世界平和を実現する、と言う夢は、日本の抱える種々の課題、拉致問題、沖縄の苦悩、北方四島、等々の問題解決にも繋がる。つまり、拉致問題等には国連文民官による調査員の派遣で実情を把握し、その結果を勧告し必要の際は軍事力が使用される。また、沖縄では国境を脅かす緊急時のスクランブルに出動する自衛隊が事前協議で国連軍と認定されるため、米軍は沖縄駐留の大義名分を失い、当面本土にのみ駐留することとなる。詳細は「日本が地球を救う（東京図書出版）」を参照されたい。

国連大使は日本国代表として世界平和の実現を握っている。日本国民は金棒となるソフト・パワーを提供し、大使は国際会議の修羅場で鬼となり、国連改革を実現し、地球の救世主になってください。

3―2　不偏不党性の確保

拒否権の縮小自体が既に国連決議の偏りを是正することになる。しかし、現状の国連にそのまま紛争や領土問題の全面的解決を任せることは出来ない。それぞれの問題解決のために組織化される小委員会の不偏不党性が不透明だからである。国連総会や安全保障理事会会議の場は権謀術数の渦巻く苛烈な闘いのアリーナである。国益を背負った各国代表が、発言の機会が与えられるや、各個の主張をそれぞれの言語に力を込め、ある時は繰り返しマイクに向かって訴える。このような状況を呈する議題の時は（拒否権の縮小が実現してさえあれば）不偏不党に関しての問題は少ない。確かに、覇権主義、専制主義の中ロ、西漸説の文明観に支配される米国、等の国が常任理事国である限り、それらの国の影響は無視出来ないであろう。しかし、・・・常任理事国の３カ国を含む国際連合加盟国の三分の二によって・・・、評決されることとなっていれば、それらの国の非常識が抑え込まれる可能性は高い。

不偏不党性が問われるのは、主に各種の委員会においてである。人種差別撤廃委員会で従軍慰安婦問題が取り上げられたケースがある。その最終報告書、クワラスワミ報告では従軍慰安婦を性的奴隷と表現し、強い言葉で日本を非難している。２０１６年２月、女子差別撤廃条約第７回及び第８回政府報告審査の場において、日本政府代表団長杉山審議官は慰安婦問題に対し、性奴隷という表現は事実に反するとし、更に、他国の場合も法的に解決済みである点を強調した。同審議官はこれまでの経緯と事実を誇張なく発表したのであるが、その訴えは聞き入れられなかった。何故、事実の証拠を示さない一方の側のみの訴えを聞き入れたのか、深刻な疑問が日本人の心の底に淀んでしまった。声高な側の主張のみを取り上げる当委員会のあり方こそ、国連は不偏不党の組織でない事実をあぶり出していると言えよう。

このような国連の現状と制度の中で、領土問題、人権問題、紛争処理等の課題を扱えば、当事者国、地域の全てが納得する勧告、解決方法は望めないのは自明である。そこに横たわる障害は下記のように想像される。

＊　選出された委員、特に委員長の資質
＊　関係国・関係団体からの影響、忖度、脅迫（大きい声の者が勝つ）
＊　報酬の少なさ
＊　調査期間・予算の限界

これらに対処し、全ての国連加盟国が納得出来るような不偏不党の国連とし、完全に不偏不党の結論と勧告をまとめるために、以下のような施策案が考えられる。

1．人材登録制度の拡充

委員会ごと、専門分野ごとに人材を募集し、厳格な審査・試験により合格者を登録しておき、各委員会の発足時に的確な人材を指名するような制度になっているものと思われるが、より広く厳しく多様な人材の登録が望まれる。

2．匿名制

関係国からの影響、忖度、脅迫を最小限にするため、極力委員会委員は匿名を通す。会議は最終結論までマスコミ等にも秘密とし、最終結論公表時に経緯等を発表する。本部等で関係者からの訪問を受けたり、会合を持つことは禁止する。また、調査時、当該国・地域での全ての饗応を厳しく禁止する。発覚すれば、当該委員の身分を剥奪するのみならず、出身国からの委員の選出も数年差し止めする。

3．委員と関係国・関係者との個人的接触の禁止

表１　上位10ヶ国の秘密スコア（%）

順位	国名	秘密スコア
1	米国	**67**
2	スイス	**70**
3	シンガポール	**67**
4	香港	**65**
5	ルクセンブルグ	**55**
6	日本	**63**
7	ドイツ	**57**
8	アラブ首長国連邦	**79**
9	英領バージン島	**71**
10	ガーンジー	**71**

個人的な金銭の授受は当然厳しく管理され、発覚すれば罰則が適用されるべきである。一方、従来の銀行における秘密口座に加え、現在はビットコイン等の電子マネー等もあり、完全に管理することは不可能である。英ＮＧＯ：タックス・ジャスティス・ネットワークＴＪＮによれば、金融秘密に関して世界的な脱税・マネーロンダリング・金融犯罪の取り締まり強化が功を奏し、１３３ヶ国の金融秘密は過去２年間で平均７%削減したという。しかし、依然として上表１の通り、銀行口座の秘密は手厚く保護されていると言える。

世界の紛争を極力抑えると言う大義名分の下、国連と銀行間で特定の委員会委員の口座の公開を約束し、金銭の授受をなくさねばならない。

3―3　その他の国連改革

提案するP5の三カ国の同意（かつ非常任理事国の6ヶ国が賛成）で安保理が決議するようになった後の想定である。

1．国連軍及びPKO

国際連合憲章第7章においては、平和に対する脅威に際して、軍事的強制措置をとることができると定められている。国連軍は国連憲章41条の定める非軍事的措置が不十分であると安保理が判定した場合、同42条に基づいて使用される軍隊である。憲章第43条に従ってあらかじめ安全保障理事会と特別協定を結んでいる国際連合加盟国がその要請によって兵力を提供することとなっており、安全保障理事会が当該兵力を指揮する。但し、第47条にて設けられる軍事参謀委員会は安保理に兵力の使用及び指揮、軍備規制並びに可能な軍備縮小に関する全ての問題について助言及び援助を与える。当軍事参謀委員会は常任理事国の参謀総長またはその代表者で構成する、ことになっている。

これまでの実績では朝鮮戦争、湾岸戦争等数少なく、その他の紛争のほとんどでどちらがどちらを侵略しているかはもとより、平和が破壊されていると認められないこともないままに推移した（違法の戦争、合法の戦争、朝日新聞社、筒井若水、2005）。

PKOに関しての条文は特に見あたらないが、活動実績は圧倒的に国連軍より多く、効果的であると世界が認めている。ブトロス・ガリ元事務局長は国連PKOの定義例を以下のように試みている。

＊　予防外交：当事者間に紛争が発生することを予防する行為、既存の紛争が悪化することを防ぐ行為、そして一度発生してしまった紛争の拡大を制限する行為

＊　平和創造：敵対する当事者から、国連憲章第6章において定められた平和的な手段を用いて、合意を引き出す営み

＊平和維持：停戦や兵力の引き離しなどの紛争を制御することに関する合意事項の履行や履行状況の監視、部分的あるいは包括的な紛争解決、人道援助の輸送の護衛などを目的とした現場における国連のプレゼンスのことを指し、通常は軍事要員と文民を伴い、紛争当事者の同意のもとに実施される。

＊平和構築：紛争の直後に極めて重要な役割を果たすものであるが、紛争の再発防止を目的とした活動のうち、平和を堅固なものにし、かつての敵対勢力間の信頼を醸成し、両者の相互交流を促すような方策や枠組みを見つけ出したり作り出したりする支援

＊平和強制：平和的な方法が功を奏さなかったときに必要とされる措置であり、安全保障理事会が平和に対する脅威、平和の破壊または侵略行為が存在すると判断した状況での、武力行為を含む国際の平和と安全を維持・回復するためにとられる国連憲章第7章に基づく行動

2. 紛争処理

＊ウクライナのケース

国境等の紛争問題と、戦闘行為阻止は別次元で考えることが基本戦略であるなら、ロシアが侵略戦争を仕掛けた段階で、速やかに安保理で協議、決定し、近傍に駐在している国連軍がロシアに対し反撃戦争に臨み、国境線まで追い返す。ウクライナのケースでは当事国であるロシアに加え中国が例え反対票を投じたとしてもこの決定は覆らないであろう。一方的な武器による侵略行為は理由の如何を問わず、全て国連軍の軍事行動で阻止する。これは安保理管理下の「軍事参謀委員会」が軍を指揮する。一方、国境等の紛争は従前通り全て安保理の協議で解決を図る。

マッカーサーが最高指揮官となった韓国国連軍はソ連の欠席を奇貨として安保理で決議されたが、38度線を南下して

きた北朝鮮に一時圧倒された。結局押し返したのであるが、38度線を挟んで休戦の合意で決着を見ている。しかし、この課程で憲章に幾度も違反し、マッカーサーも外交政策に口を出し、トルーマン大統領の逆鱗にあって排除された。しかも、侵略した側と休戦するという事態は「制裁する」側である国連軍の瑕疵である。これは世界大戦になるのを恐れたため腰が引けた結果であるとの解釈もある。

しかし、国連軍の規模は必要最低限とならざるを得ない。核を保有するロシアの自暴自棄の暴発を防がねばならないからである。一方、続いて安保理で決議されるのは「経済制裁」であり、現況の個別で対応している制裁規模を大きく上回ることは間違いない。この効果には期待できるであろう。

＊沖縄のケース

中国と国境を接する沖縄では頻繁に領空が侵犯され、その都度自衛隊はスクランブル発進を余儀なくされている。この実情を国連安保理に報告し、国連軍常駐の必要性を協議、決定してもらう。既に自衛隊の一部は国連に提供することとなっているため、自衛隊が国連軍となって常駐することとなる。現在米軍の重荷になっている沖縄基地を国連軍（自衛隊）が肩代わりするため、米軍の負担が減少する。また、アメリカの青年たちを最前線に配置するのは、アメリカ国民も喜ばないはずなので、米軍は日本本土、特に本州に滞在し、安全な後方から睨みを利かせることとなる。一朝事あるときは、その段階で必要な軍事支援を受けるような体制が整えられるのが、日米双方にとって最も望ましい形である。国連軍が常駐し、国境が穏やかになってきた段階で日米安保条約の見直しに入り、段階的に米軍の在日駐在規模を縮小させていき、将来的には日米安保条約の必要性が無くなるであろう。

＊拉致のケース

日本からは既にこの事実は国連に報告されているため、国連安保理は早急に文民官グループを北朝鮮に派遣し、拉致被害者の救出にあたる。政府の関連機関を訪問し、拉致被害者全員（日本以外の国も含む）の安全な移動を強制する。一方、ラジオ・テレビ等の放送や新聞等を通じて文民官の宿泊所（ホテル等）への連絡方法を伝える。拉致被害者は電話等で個別に協議し、それぞれの被害者（家族）の最適の移動方法で文民官グループと合流し、その後速やかに日本あるいはそれぞれの国への帰国を果たす。この何れかの段階で北朝鮮が躊躇したり、障碍となったり、時間稼ぎの戦略に入ったと判断されたら、速やかに国連軍の派遣で「招待所」等の可能性のある全ての拉致被害者居住地を訪れる。軍隊の派遣であるが第一陣は武器を一切携行しない。闘争を前提としない派遣である。

文民官あるいは国連軍の派遣は全てのグループにマスコミが同行し、映像は世界に流す。マスコミも含め全員決死の覚悟で臨む他ないであろう。

3．軍縮、核兵器廃絶

憲章第43条1は下記のように謳っている

国際の平和及び安全の維持に貢献するため、全ての国際連合加盟国は、安全保障理事会の要請に基づき且つ一又は二以上の特別協定に従って、国際の平和及び安全の維持に必要な兵力、援助及び便益を安全保障理事会に利用させることを約束する。（以下略）

このように兵力、武器、施設を国連に提供することが義務づけられており、特に紛争が常態化している地域には国連軍となった軍隊はかなりの規模で常駐する。提供した国の方から見れば、兵力、武器は減少したこととなる。紛争地帯に国連軍が常駐することとなり、紛争が減少、縮小すれば、兵力、武器の必要性は減少し、自ずから軍縮へと向かうことが期待される。何れの国も国連を相手に闘争を行う意志も能力も持ち得ないであろう。軍備拡張の必要は減じてくる。一方、国連軍はしばらくは増強、強化の方向を保ち、弱体化は避けねばならない。

唯一の被爆国として日本は毎年、ＮＰＴ及びＣＴＢＴの推進を中心とした核兵器廃絶決議案を提出している。平成28年度は、米国を含む１０９ヶ国の共同提案国を代表して日本が提出した核兵器廃絶決議案（核兵器の全面的廃絶に向けた共同行動）は、賛成１６７、反対４、棄権16の圧倒的賛成多数で採択された。反対したのは中国、北朝鮮、ロシア、シリアである。その後も同じような経緯をたどっている。

一方、核兵器禁止条約も採択されているが、こちらの条約には核兵器保有国は賛成していない。現在、Ｐ５は全世界の約97・５％の核兵器を保有しており、これらＰ５が賛成しない同条約は有名無実である。上記の核兵器廃絶決議案を地道に実効ある制度にしていかねばならない。日本はこの面でも旗振り役となっており、頼もしい限りである。国民はこの面では政府の足を引っ張らず、応援席からエールを送るべきだ。

第四章　二極化の歯止め

4—1　村落開発の推進

　産業革命後、西洋から始まった大量生産、大量消費、大量移動は世界大戦後、アメリカが他を圧倒して先頭を走り、日本も物や情報に対する無意識の欲望が経済発展の後押しをした。そして見かけ上の生活の豊かさは、際限なく人口を増加させてきた。しかし、地球の土地、資源、環境（空気、水、生態系等）は早くからそれらの人口、生活水準を保つための限界を超えていたのである。地球環境問題は必然的に各地に姿を現し始めてきた。もはや際限のない経済発展を地球は許さない段階に来ている。人々が都市に集まり（大量移動）、大量の食料と物を消費し、人口減となった農村部は都市人口の腹を満たすだけの生産ができず、海外から少なからざる食料の輸入を余儀なくされている。少子化が問題視されているが、日本の環境包容力（キャリング・キャパシティー）、就中食糧生産能力（農地面積、労働力等）の視点からは、好機と捉えるべきだ。真の問題は農村部の人口減であり、都市への集中による二極化の進展である。

　地方と都市の人口の二極化に対してはフルサト活性化を主目的とした村落開発が有効である。以後、「フルサト（カタカナ表記）」の定義は「住民が活気に満ち、伝統や祭りが定期的に実施され、心の拠り所となるような美しく、郷愁を誘う景観を含む村落」とする。１９８８年、地域振興を目指し「自ら考え自ら行う地域づくり事業」としてふるさと創生事業が実施された。失敗例もあるが、「もみじ街道」整備のためにモミジ苗木約１２００本購入した例や、村の歴史的建造物の改修を通して景観の美化を図ったりした例は「フルサト」の活性化に繋がっている。

民間企業の活動が「フルサト」振興に一役買っているケースも見られる。霧島酒造株式会社は「地域に根差し、地域とともに発展する」という経営方針のもと、拠点を構える南九州産の原材料を使用して、平成24年から業界シェア第一位を獲得している。原材料を生産する生産農家とは定期的に対面する機会を設けたり、各地区の栽培状況の報告や活発な意見交換や勉強会なども実施している。生産者と連携しながら栽培拡大や品質向上に取り組む姿勢は、当地住民の生活と共に農業の振興にも直接貢献している。農業の振興は景観の改善を伴い、「フルサト」は充実の度を増しているであろう。木村尚三郎は『21世紀に、私たちが最終的に目指すべき場所、長い旅の果てにたどり着く心のふるさととは、美しい「農」である』と言っている（美しい「農」の時代、１９９８年2月、木村尚三郎、ダイアモンド社）。

一方、ふるさと資源と呼ばれる農地、農業用水路、堰、貯水池、農道、並木等の公共整備事業も「フルサト」活性化に有効である。小規模の整備であれば当地の共同体主体で計画し実施する事業も考えられる。資機材購入に関わる事業費のみを市町村が負担するケースも各地で見られる。広島県沼隈町（現福山市沼隈町）では早くから「一荷合力（いっかこうろく）」と称して住民の参加で大きな業績を上げている（「アフリカ貧困と飢餓の克服」参照）。

ところで毎年２万 ha 以上の農地が減少している現状には震撼とせざるを得ない。食糧自給率は更に減少し、海外からの食糧に頼るのは危機管理の観点からは極めて危険である。それに伴って村落の景観も悪化し、「フルサト」の劣化は避けられない。荒廃農地の再活性化は景観の改善に止まらず、そこに帰農者、新規就農者を取り込めれば、農業の活性化も期待出来る。しかし、荒廃農地はまとまっておらず、比較的アクセスの悪い地域に偏在・点在しているケースが多いが、農協等が特産品を開発し、率先して集荷・出荷する態勢を作れば、採算の合う事業展開は不可能ではない。

このように荒廃農地を再活性化すれば、農業の振興のみでなく人口の逆流、つまり都会から農村へ人が移動し、二極化の緩和が期待できる。更に景観の改善にもつながり、一石三鳥の効果がある。

一方、そこには大きな課題が横たわっている。安い農作物の価格である。生産した農作物、加工品等の価格が安ければ、移住者の生活が安定しないのは自明だ。そして、この問題こそ後継者が育たない原因である。言ってみれば、日本農業の衰退は価格競争、自由競争社会が原原因であった。国内市場は閉じてなく、海外との競争に曝されて安い農産物は怒濤の如く国内に流れこんでいる。日本が工業製品を主体とする輸出産業で人口を支えている現実を鑑みれば、ＷＴＯにおいて農産物のみを例外として高関税を課すことは限界がある。米でさえも守ることができなかった前例がある。

この一対策としては、例えばフルサト・ショップ等の名称で利益の使途を明確に説明し、その目的を消費者に訴える、近年まで見られた八百屋のような店舗が考えられる。近隣スーパーより割高になるのは避け得ないが、特典の付与やポイント制にする案で対応する。特典やポイントは「フルサト」内の旅館や民宿で使用される。主催は全国の農協が一体となって担い、全国の特産品等の配布を伴えば他のスーパーに勝る特徴となろう。

自然の中に溶け込んだような農家は、美しいと言うより郷愁を誘い、ほのぼのとした暖かさを感じる。このような農家が民宿を行えば利用する都会人は日頃の疲れを癒され、活力を取り戻して帰っていくであろう。民宿開設の各種規則・制約をできるだけ抑え、「フルサト」ならではの民宿制度を作ることも一案である。

ところで、自殺、特に十代の若者の自殺は何としても防がねばならない。「フルサト」が持つ「農」の力、自然環境は、傷ついた自殺願望者の心を癒す可能性がある。「フルサト」の中にフリースクール等の施設を作り、家畜飼育、野菜栽培、林業経験、各種工作、等を同じ村落のご老人にボランティアで指導者になってもらって実業の中で一緒に実施する。営農者の手伝いをし、小遣いを稼ぐことも可能である。

具体的な「フルサト」を各地に立ち上げ、都会から地方へと人口が徐々に移動し始めるよう都市と地方との連携強化が待たれる。

4―2　アフリカの貧困と飢餓の克服

1．概況

日本の「フルサト」は長い歴史とそこに居住する人々、それに深奥幽玄の自然と融合した結果であり、そのままの形で他地域、他国へ移転することはできない。今、貧困と飢餓から抜け出せない人々、地域が多いアフリカでは、特に自然環境も悪化の一途であり、経済的にも苦境に甘んじている。当然、インフラも未発達で産業は未熟である。景観どころではないが、心のふるさとと言える住み続けたくなる集落を創造するのは困難ではない。

インフラの中でも特に基礎的な交通網に関しては都市間の他、農村部に通ずる道路網が農業農村開発には重要である。大規模機械化農業を営むヨーロッパ出自の農家の庭先までは道路が完備しており、各種の交通手段が利用出来る一方、土着の農家は一様に貧しく、その農村は遠隔の孤立地域である場合が多い。孤立地域の定義は次の通りに要約出来る。つまり：（1）交通網の未発達、（2）市場への遠隔さ、（3）農家組織の未成熟、（4）農業生産に対する自然環境の劣悪さ、（5）市場情報の希少さ、（6）市場価値の高い農産物選択余地の少なさ、及び（7）ローカル市場の小ささ、である。

これらの孤立地域においても、農村開発に焦点を当てた協力事業が多くのドナーにより実施されてきた。成功例の報告もあるが、いずれも外部からの投入（モノ・ヒト・カネ）をその成功理由から除外し得ない。つまり、何れのケースも遠隔地であるための不利性、インフラ事業の非経済効率を各国政府独自に克服できる手法を提示していない。また、孤立地域農村を市場へ取り込んだ例も少ない。市場情報の遅延、希少さが市場化の阻害要因の一つと見なされる。市場経済体勢への移行を促すにしても、開発当初は政府の干渉が有効であるが、世銀がアフリカ諸国に採らせている施策は、行政サービス、特に普及の縮小であった。民営化促進を通して所謂「小さな政府」を目指させたと言える。

その施策は市場化を進める一環として換金作物の導入に急であったが、その施策を担ったのは幹線沿いの企業農家と資本を持った新興農家（銀行等の退職者が多い）のみであった。また、多くの参加型開発手法を駆使した農民自身による参加・取り組みは、企画、施行、管理運営の間が不連続で真に持続的開発を達成した事業は限定される。

村落開発モデルを示そうとした多くの試みは、各国政府が抱える資源や能力、つまり予算、人材、組織面を過大評価していたため、政府が独自に反復した事例も少ない。また、既存の参加型開発手法も期待された効果を上げていない。その結果、孤立地域小規模農家は未だ貧窮状態から脱する兆しを見せていない。そのような地域が難民やテロ組織に流れる人々の温床となっているのは言うまでもない。

2．参加型持続的村落開発手法確立

このような状況の中、ザンビアにおいてアジア地域の一参加型開発手法：ＣＡＲＤ（CIRDAP Approach to Rural Development）のパイロット・プロジェクトが実施され、アフリカへの適用性が高い点と共に、いくつかの追加・修正の必要性が教訓として得られた（CIRDAP=Centre on Integrated Rural Development for Asia and the Pacific）。また、「参加」を謳った開発手法の留意事項と陥穽に対する事前対策の必要性も浮き彫りになった。プロジェクトに関与したザンビア国農業省本省及び州・郡事務所担当者は普及員を交えて会合を重ね、それらの全ての教訓を消化し、対策を組み込むことにより参加型持続的村落開発手法（Participatory Approach to Sustainable Village Development：PASViD）を考案した。その手法は更に２ＫＲ見返り資金を使用して新たに２ヶ村で試行され、高い実用性が実証された。

特に留意された変更点は、全層の村民と多くの女性の参加をＰＣＭ（Project Cycle Management）ワークショップの条件とした他、村民参加（のみ）を目的化しないような配慮が行われた点である。つまり、村民が参加するワークショップと、その結果として作成されるＰＤＭ（Project Design Matrix）、ＰＯ（Plan of Operation）等を重視しつつも、その段階では評価は行わない。その後のインフラ建設の実施状況と収入増活動のインパクトが確認される段階で初めて効果があったかどうか、と言う評価を行う方針としたことである。住民参加の留意点はＰＡＳＶｉＤ実施前の普及員研修の際、重点事項として講義されることとなっている。

更に、アフリカ農村部の持続的開発は農業の持続性と不可分である点が明らかとなった。ＰＡＳＶｉＤでは個々の村民レベルで持続的農業を営み、村落レベルの農地全域で土壌劣化（浸食、肥沃度低下等）を食い止め、農業生産性を上げていく。農林水産業を発展させると共に、森林や水系等の周辺環境保全も目指す。組織的には村のアンブレラの下に、青年団、婦人会、各種グループ、農協等を有し、各々の役割を最大化しつつ伝統芸能や行事を発展させる。一方、ＰＡＳＶｉＤも社会・経済発展を重視する点はＣＡＲＤ手法を引き継いでおり、ＭＰ（Micro Project）で村落全体の経済発展、生活水準向上のための施設・インフラ整備を進めていく。村落の総福祉の最大化を目指し、若者の定着を促すと共に村民が生活の豊かさを実感できる状況を究極の目標とする点もＣＡＲＤと同様である。

写真―１　村の中でのPCMワークショップ

その手法の主な特徴は次の通りである。

（１）　１００～５００家族程度でなる自然村単位に取り組む。自然村は習慣、制度、運命を共有する面識社会であり、対話と共同活動が日常的に行われている。第Ⅰ段階では参加型農村調査（ＰＲＡ）により村の地理・資源を確定し、基礎情報を把握する。

（２）　実施期間３年程度のマイクロ・プロジェクト（以後、ＭＰ）実施を第Ⅱ段階とする。ＭＰのプロジェクト要素決定過程に村民全階層の意見を取り込み、主体性を喚起するよう簡略化プロジェクト・サイクル・マネジメント（PCM）が使用される。MPが所期の目的を円滑に達成できるよう危機管理手法も採り入れられる。プロジェクト・デザイン・マトリックス（PDM）、実施計画（PO）、及び危機管理表によるプロジェクト準備は、別の日にモデレーター（普及員等）が作成し、後に村民に再確認することとなる。

（3）地域資源の最大活用、自助・共助・公助のバランスのとれた連携によるMPのターゲット・グループは最貧層を優先させるが、当目標はMP後も継承される（第Ⅲ段階）。

（4）都市並みの就業機会とアメニティー確保を通し、若者を村に定着させるのが第Ⅳ段階に設定される。その手段としては、MPから発展した農畜水産物の増産、特産物の育成、加工・家内工業の振興、手工芸品の開拓、観光農業等がある。

（5）最終の第Ⅴ段階では都市や環境との共生を目指した内発的発展と農村地帯付加価値の最大化を究極目標とする。

（6）近年住民参加によるボトム・アップ・アプローチがトップ・ダウン・アプローチに席を譲る動きがある。しかし、住民の発意をプロジェクトとして予算化するには、トップとボトム間に介在する仲介者の役割は看過できない。住民に直接接する農業普及員や村落開発員が階段（ステアズ）の如く働いてトップとボトムの橋渡しが可能となる。当手法は特に普及員の役割に焦点を当てた「ステアズ・アプローチ」と呼べる。

（7）MP要素は簡易PCMワークショップにおいて村民自らが決定するが、モデレーターの適正ガイドは不可欠である。そのため、当手法では予めMP

写真―2　MPの倉庫兼集会所。村民の労力で施工される。

要素をその性格により3種類に分類している。つまり、（1）インフラ整備、（2）小企業活動資金（シードマネー）及び（3）研修、である。その他に普及員活動費も必要に応じて予算化する。（1）は村民自ら建設できる小規模インフラ整備であり、（2）は主にその施設とリンクした収入増活動である。（3）は農業技術か（2）の技術研修のための費用であり、他先進村視察や農業専門家の招聘、講義、実習等が含まれる。特に（1）（2）に比重を置くものの、予算割りは村民意志を重視する。

（8）全国規模で実施可能であることが当手法の前提であるため、その予算額の明確化は必須である。各村のMPは1回だけの実施である。しかし、各村落を取り巻く社会・経済・自然環境、そこから派生する村のニーズと深刻度は全て異なる。そのため、そのニーズに対応するプロジェクト毎の必要経費額を、公正を旨として審査・決定するには多くの条件と基準設置が不可避であるが、その審査等に要する膨大な取引費用は途上国予算では対応できない。従って、MP予算額は例外なく一家族当たり100ドルで計算され、100家族の村に対しては1万ドルとする。一家族当たり同額としても立地条件差を補正できる可能性は高い。つまり、都市近郊農村では各種サービス・市場に恵まれるが物価は高い。他方、遠隔地農村では逆に社会インフラが未発達である反面、物価は安く同額予算がもたらす経済的インパクトは都市近郊農村より大きい。

（9）全予算が対象村落に投下されるため、経済効率は最大であり、村落の全資源、特に人的資源の総動員が図られる。眠っていた村人のマンパワーが全国規模で開発に向かうインパクトは大きい。

（10）数値化された貧困軽減より、むしろ共同体活性化プロセスや環境との共生の中で村民の生き甲斐を創造する方

写真―3　MPの裁縫仕事。小学校の制服を受注し、女性達が作り始めた。

に重点が置かれる。外部からの干渉は最小限である上、完全なフェーズアウトが期待できる。

3．参加型開発手法の意義・留意点

住民が真に主体的に企画・立案、実施・運営を行ったプロジェクトは、参加が少ないか装わされたプロジェクトに比して長期的インパクトは大きく、持続性も確保されるはずである。抽象的でない実質的な持続的発展を見て、初めて住民参加型開発手法が有効であったと言える。パイロット・プロジェクト実施を通じて得られた参加型開発手法の意義は以下のようである。

a．運命共同体としての同胞意識・連帯感の再確認と強化
b．生活空間の変革主体としての自覚の醸成
c．自律の必要性と責任感・義務感の啓発
d．開発に参加する具体的契機の提供
e．住民による具体的村落未来像の共有化
f．総福祉向上への希望、誇りと自尊心の覚醒

農村開発、地域開発に住民の参加は必須であり、効果的に参加が達成されれば大きな潜在能力の発現が期待できる。しかし、前項のような参加のマイナス面には注意を払うべきである。

参加型開発手法を効果的とするためには以下のような点に留意する必要がある。
a．村民全階層（の代表）がプロジェクト企画立案過程に参加しているか
b．必要な情報の提供は行われたか
c．参加者公正を担保する具体的手段はとられているか
d．彼らが自由に発言できる雰囲気を作り出し、充分な討論の時間は確保されたか
e．村民の自発性と自助意識、開発主体である認識は十分高められたか
f．グループ間の確執、権益調整は図られたか
g．事業実施の際の責任と活動について住民の意思表明は十分行われたか

4．孤立地域参加型村落開発計画の開始

国際協力機構（Japan International Cooperation Agency：JICA）は２００２年6月、ザンビア国に対して技術協力プロジェクト「孤立地域参加型村落開発計画（Participatory Village Development for Isolated Area：PaViDIA」を開始した。上記ＰＡＳＶｉＤを更に改善し、持続的農業技術の実証研究を主体とした2年間の第Ｉフェーズと、農業・協同組合省が全国孤立地域農村部で独自に実施できる組織、人材及びシステム作りの5年間の第Ⅱフェーズに分かれる。当プロジェクト概要は以下のようにまとめられている。

〈スーパーゴール〉
ザンビア孤立地域の貧困が軽減される
〈上位目標〉
プロジェクトによって確立した村落開発のモデル・アプローチが他の孤立地域で用いられ、貧困軽減のための活動が

行われる

〈プロジェクト目標〉

持続的農村開発のモデル・アプローチを、普及員と対象孤立村落農民のキャパシティー強化を通じて確立する

リーダー、調整員、村落開発及び持続的農業の専門家、総計４名のチームで２００２年６月より７年間取り組んだ。モデル地域に選定したチョングウェ郡29キャンプ内30ヶ村で３年間ＭＰを試行してモデル・アプローチを確立し、持続的農業技術を実証研究しようとするプロジェクトであった。対象地域の社会開発調査・分析が行われ、持続的農業では基礎研究が農協大学や農家圃場にて実施されてきた。取り組みは２００４年４月から本格的し、15ヶ村にてＭＰが実施された。２００５年末までには更に15ヶ村においてＭＰが実施され全村でワークショップが実施されている。

一方、孤立地域には約40万家族が居住している。単純計算では全孤立地域村落で改善ＰＡＳＶｉＤを実施するには約４千万ドルが必要であるが、１９８１年から１９９７年の間我が国がザンビアに投下した食糧増産援助（２ＫＲ）総額１３３億円の見返り資金で理論的にはカバーできる。今後２ＫＲ及びノン・プロジェクト無償資金見返り資金を管理する財務省が、肥料等を末端で農民に販売したストッキスト（小売商）等の債務者から未払い金回収を推進すれば、上記予算を孤立地域村落開発のために準備するのは困難ではない。従来20％台の回収実績を勘案すれば、全額返済は望むべくも無いが、見返り資金自体から回収経費を支出する動きも出ており、今後の積み立て増加に期待できる。

５．アフリカの遠隔地が「フルサト」に

ザンビア国孤立地域農村は立地条件に恵まれず、降雨パターン・量の激しい年変動、低い土地生産性（低有機質）、土

壊侵食等の影響で農業生産は低く不安定である。更に社会インフラも未発達のため市場から取り残されている。土地なし層を中心とした孤立地域出身貧困農家は職を求めて都市に移住する。これら状況を俯瞰すれば貧困問題の源には孤立地域の存在があり、その地域開発抜きにザンビアの貧困問題は解決しないと理解できる。また、村民は恒常的に飢餓に直面しており、平均的に一日一食を強いられている中で次期収穫までの少ない食料在庫を考えた時、それは脅威以外の何者でもない。ザンビアのみでなくほとんどのアフリカ諸国においては脅威からの自由（Freedom from fear）、「人間の安全保障」を必要とする孤立地域村民は多い。

一方、従前に示されてきた多くの農村開発モデルは多くのアフリカ諸国の組織・制度・人材・予算（の何れか）に過剰な要求をする内容であった。つまり、モデルを示したプロジェクトはドナーからヒト・モノ・カネのいずれか、あるいは全てが投入されたために成功しており、それらを持たない国々は独自にそのモデルを他地域で反復できなかったのである。

これまでの実績から、各村で実施するＰＡＳＶｉＤを全国展開するＰａＶｉＤＩＡはザンビア独自の資源や能力のみにより全国規模で公正に実施できる潜在性を理論的に示した。しかし、３年間のＭＰ期間中に数値化された貧困削減目標を達成しようとするものではない。村民が自主自立を内面化し、労働提供により自らの共同体能力に覚醒し、共同事業遂行能力を高め、自信を持つこと、をその期間中の目標としている。ＭＰで開始された小企業の資金が村内で回転を始めれば、ＭＰ後も地域経済は活性化し、長期間を要するともやがて内発的発展は軌道に乗り、都市や環境との共生が図られていくことが期待される。この過程の中で村民の定着は進み、自分たちで創り上げた村落を真の「フルサト」として持続的な開発へと誘う。また、導入された持続的農業技術は家庭レベルでの食料の安全を保障するであろう。労力提供意思がワークショップで示されない村落は当初ＰＡＳＶｉＤ適用対象から除外される可能性があるが、後日近隣村落での成功例に接すれば、その意志が喚起される可能性はある。

一方、不利な立地条件を考慮すれば、孤立地域は市場経済原理のみに発展を委ねるのは困難であると理解できる。ある種閉鎖共同体社会の中での自給自足と市場経済の最適組み合わせが追求されるべきである。具体的には都市市場を対象とした換金作物や新規工芸品の開発・導入等と、村内あるいは近隣町村市場を対象とした食料や消費財の生産増、つまり「地産地消」促進との均衡がその時々に応じて図られるのが望ましい。活性化された共同体活動はこれまでの村内の人間関係をより緊密化し、住み良さを助長するであろう。

ＰＡＳＶｉＤは村民の理解を条件に、他のアフリカ諸国でも適用可能と考えられる。それはアフリカ農民の内発的発展を促し、真の精神的独立を実感させ、貧しいながらも豊かさが感じられる共同体を創り出す可能性を秘めている。それらの農村こそ、「フルサト」と呼ばれるに相応しい心の拠り所となるであろう。しかし、期待通りの成果を上げるためには政府と普及員の持続的努力も条件である。それらをどの程度まで喚起できるか、が今後のＪＩＣＡが実施する同様プロジェクトの成功を握っており、その時日本も彼らの自立を支援する援助を続ける大義名分が立つ。

第五章　アフリカ大陸の自然環境保護

5―1　アフリカ大陸の概況

1．歴史

アフリカは人類発祥の地とされている。およそ４４０万年前エチオピアで発見されたラミダス猿人に始まり、ケニア国トゥルカナ湖西岸で発見された約１５０万年前の原人を経て、約20万年前の現代型ホモ・サピエンスの出現まで、アフリカが現代人の起源地である事実を示す多くの人類化石が発見されている。そこからヨーロッパやアジアに移動し分布したネアンデルタール人や古代型ホモ・サピエンスを駆逐し、現代型ホモ・サピエンスは世界に定着していったものと推測されている。アフリカに定着した現代人は数回の湿潤期と乾燥期を乗り切り、５０００年前頃からの厳しい乾燥期を迎えて森林の後退とサハラの砂漠化・サバンナ化を経験した。その中でバンツー系農耕民の移動が始まった。バンツー系の人々は、語彙の上でも、また文法的にも極めてよく似た言語を有する集団で、細かく分ければ２００~３００位の集団からなっている（宮本、１９９７）。彼らはソルゴム、シコクビエ、トウジンビエ、豆類やヤムイモ等を栽培しつつ中央アフリカから、東南部アフリカに至る広大なアフリカ大陸を移動し、拡散していった。

バンツー系住民は南部アフリカのピグミー系やコイサン系の狩猟採集民が居住する地域にも急速に移動し、彼らを追いやったり棲み分けたりして現代に至っている。鉄器文化が始まる紀元１０００年頃まで石器文化を保有し、相互に交流したり独立を保ったりしながら社会を形成しており、狩猟採集社会と農耕社会が共存を図っていた。アフリカでは今日でもそのような多文化の共存関係が形を変えて維持されている（宮本、１９９７）。

15世紀末以降、ポルトガルとスペインを筆頭にヨーロッパ諸国が大航海時代を迎え、アフリカの海岸地域にも進出し始めた。主に西海岸に多くの交易基地（城砦）を築き、金、象牙、胡椒等と金属製品の交換が始まった。このような経過を辿った後、奴隷貿易を中心とする三角貿易が始まったのである。三角貿易はヨーロッパ（特にイギリス）の安い製造品（綿布、金属製品、アルコール飲料、鉄砲等）を積載した船がアフリカ西海岸で船荷を奴隷と交換し、その奴隷を積んで西インド諸島、南北アメリカ大陸にわたっていた。目的地で奴隷の船荷を降ろした後、砂糖、綿花、タバコ等現地の主要換金商品を積み込んで西ヨーロッパの母港に帰りつくのである。奴隷数については諸説あり、宮本によれば１２００万人から２０００万人程度と見積もられている。重要なのはこれらの数値は途中で殺されたり奴隷船上での死者数を含んでおらず、彼らは10歳から35歳の働き盛りであった点である。

アフリカの不幸は更に続く。英国人スピークスがナイル川源流を発見した19世紀中葉以降、多くの探検家が陸続とアフリカ内陸部を目指した。探検家の後に伝道師、商人が続き、20世紀初頭までには既にほとんどの内陸部が踏破され、ヨーロッパ各国の支配下に置かれたのである。ヨーロッパはアフリカに存在する王国と各個に接触し、土地の首長に対し政治権力の保護と引き換えに主権の譲渡を迫り、敵わないと見れば武力で脅した。このようにしてヨーロッパ列強はアフリカにおける領土の拡張競争に入っていったが、秩序だったアフリカ争奪を行うため、列強のみによる会議が行われた。１８８４年11月から翌年2月までヨーロッパ13ヶ国がベルリンに会し、会議の中でアフリカの分割を行ったのである。

それぞれの植民地を統治、経営した主役は統治権を与えられた各列強国の特許会社であった。鉱物資源や一次農産品の争奪と共に「文明の伝導」が並行して行われた。つまりアフリカの遅れた未開人に対し、進んだヨーロッパの制度や価値、宗教や知識を分け与えるのは文明人の崇高な使命であるとの正義に基づく行為であった。その役割を担ったのはキリスト教伝道団であった。その効果が顕著でないことに苛立った宗主国はそれぞれの植民地を「間接統治」により支配する図式を確立していった。その間アフリカも無抵抗であったわけではないが、少数部族の連携と合同の手段を持たなかったため、各個に武力で撃破され次々に列強支配下に置かれていった。その後植民地支配の歴史を抜け出すのには第二次世界大戦後まで待たねばならなかったのである。

戦後、アフリカ各国は各宗主国から独立を勝ち取って植民地支配から脱していくが、アジア地域ほど早くなかった。50年代にサブサハラアフリカで独立したのはスーダン、ガーナ及びギニアの３ヶ国のみであった。しかし、60年はアフリカの年と呼ばれ17ヶ国が次々と独立を勝ち取り、その後の60年代に多くの国が後に続いた。70年代以降に独立したのは大陸ではモザンビーク、アンゴラ、ジンバブエ、ナミビア、ギニアビサウで、島嶼国ではサントメプリンシペ、カーボベルデ、セイシェル、コモロであった。93年にエリトリアが独立し、南北間の宗教・民族間の争いを経て南スーダンが２０１１年に独立してほぼ現在の国の形が出来上がっている。

しかし、独立後も各国が平和を獲得し、経済的独立を達成するための道は平坦ではなかった。むしろ当初の鉱山資源管理の失敗、鉱物資源国際価格の暴落、独裁者による政治の失敗等により経済悪化が加速した。宮本（１９９７）はその要因を以下のように指摘している。

（１）アフリカからの農産物・鉱産物輸出による経済余剰は、現地のアフリカに止まらず宗主国等に流出するような体制となっていた。

（２）多くのアフリカ諸国の基幹産業が農業であるにも関わらず、食糧自給が困難であった。

（３）国内の道路・通信網等のインフラが、農産物・鉱産物の輸出に便利なように整備されておらず、国内各所を網羅的に結合するような配備はされていなかった。

（４）宗主国等から綿布や鉄製の農機具などの廉価な工業製品が輸入されたために、アフリカ在来の手工業が壊滅的な打撃を受けて、職人層が激減した。

各国は工業化の道を歩もうとしたが成功した国は多くない。ヨーロッパ系住民が国内産業、特に大規模機械化農業の主導権を握った南アフリカとジンバブエのみが例外的に強固な経済基盤を構築することができた。しかし、ジンバブエは30年以上独裁者の立場にあったムガベ大統領によるヨーロッパ系農場主からの農地強制収容政策後、経済は破綻状況となり、対外的な信用も落としたため一時孤立を深め、苦境に立っていたが、現在はムナンガグワ大統領の下でやや持ち直している。

その他の国における多くの国家指導者は独立当初ネイション・ビルディングの必要性を国民に説き、熱狂的な指示を受けたが、彼らの言動が必ずしも理想と一致しておらず、経済経営も未熟であったため、80年代に入り国民の熱狂は急速に冷え込んでいった。また、多くのアフリカ諸国が社会主義を標榜していたが、東西冷戦の終結する90年を待たずしてそれらは破綻し、自由経済を採用した民主国家を目指し独裁制も崩れていった。その間借款に頼ってきた経済は一向に上向かず、世銀やＩＭＦからの構造調整の条件を課されたが、その効果も一過性に止まっている。また、先進各国からの各種の援助効果も限定的な成果を上げたに過ぎず、現在に至るまで開発の普遍的手法は示されていない。

2．自然概況

総面積約３０３０万平方キロの面積を有するアフリカ大陸には、周辺島嶼国を含めて54ヶ国が存在する。アフリカ北部のサハラ砂漠以北はベルベル系、アラブ系人種が主流を占め、言語のみならず歴史的、文化的にサハラ以南と区別される。ここではサハラ砂漠南部、サブサハラアフリカを対象とする（図５―１参照）。

サハラ以南のアフリカ大陸地形を概観すれば、海抜５００メートルを超す前カンブリア紀台地が約６割を占めており、その台地上に５８９５メートルのアフリカ最高峰キリマンジャロ山他、ケニア山、ルウェンゾリ山、カリシンピ山、エルゴン山等が散在している。また、エチオピア高原は３０００メートル、ケニア、ウガンダ、タンザニアを含む東アフリカ高地は２０００メートル等と、標高は高いが割と平坦な地形が大半を占めている。大陸東寄りを南北に大地溝帯が走っており、北はヨルダン国死海に発し、紅海からエリトリア、エチオピアを経由し、東西の地溝帯に分かれ、再び合してザンベジ川河口へと連なっている。地球の巨大な裂け目と言え、その地溝帯は水を湛えて多くの大湖沼となっている。その中にはバイカル湖に次ぐ世界第二の水量（１万７８００Ｋ立米）と深さ（１４７０メートル）を持つタンガニーカ湖が存在する。その最深部は海面下６５９メートルにも達する。

　東西に分かれた地溝帯の中央には世界第二の面積を誇る淡水湖ビクトリアがあり、世界一の大河ナイル川に放水している。河川はナイル川の他、ニジェール川、コンゴ川、ザンベジ川、

図５-１　サブサハラアフリカの国々

（注）上記他の島嶼国にはセイシェル、カーボベルデ、サントメプリンシペ、モーリシャス、コモロ諸島、等がある。

（著者作成）

オレンジ川等が代表的である。南部アフリカにはナミブ砂漠、カラハリ砂漠が有り、ダイアモンド等の地下資源を産している。

大陸のほぼ中央を東西に赤道が走っており、赤道の南北に熱帯降雨林地帯が発達している。熱帯降雨林はギニア湾沿岸部からコンゴ民主共和国にわたる地域にまで広がっているが、大地溝帯東部の高原、特にケニアまでは達していない。降雨量はこれら熱帯降雨林地帯からの距離に比例して少なくなり、植生も徐々に深い森林からサバンナ草原へと変遷する。その周縁部が半乾燥地及び乾燥地となって干ばつが定期的に襲う地域である。現在、飢餓はこれらの地域に頻発している。

3. 社会経済状況

アフリカの人種（亜人種）集団、民族集団、部族集団を峻別することは極めて困難であるが、G. P. マードックは民族集団は10系統48群からなり、およそ６０００の部族に分類できるとしている（小田、１９９９）。民族・部族の概念に統一した見解はなく、最近は部族（tribe）の名称は使用しないのが一般的である。人種、言語及び文化的伝統を共有する歴史的に形成された人間集団を民族として把握する「国際情勢ベーシックシリーズーアフリカ第2版、１９９９、小田英郎」。その分類に従えば、アフリカ大陸が多数の民族を抱えるのみでなく、前項で述べたようにそれらの民族や伝統を一切考慮せずにヨーロッパ諸国が19世紀末に国境を確定したため、各国はその領地の中に多くの民族を抱えることとなった。例えばザンビアは72の民族（部族）からなり、言語もほぼ同数が使用されている。そのため、同国は国語を英語のみとしている。他国人には極めて好都合である反面、教育を受けられない貧困農民は国語を解せず、農業普及の大きな障害となっている。

一方、スワヒリ語を国語とするケニア及びタンザニアの事情は若干異なる。両国のほとんどの国民はスワヒリ語を理解し、話すことが出来る。ケニアは47言語を使用しているが、スワヒリ語を通して意思疎通が出来、公用語として英語を使用している。言語に関して唯一例外的に問題を抱えていない国はソマリアである。津々浦々ソマリ語を使用し、国民同士の意思疎通には全く障害がない。

多くのアフリカ諸国は第二次世界大戦後、順次独立していったが、植民地時代の経済産業構造はそのままの形で残された。工業化に成功した国もなく、鉱業に頼って経済が比較的安定していたザンビアは１９７０年代央、銅の国際価格が暴落すると共に経済状況も急落して現在に至っている。南アフリカ及びジンバブエのみが例外的であったが、近年ジンバブエは経済不況に苦しみ、大統領の交代で一時持ち直したものの、未だに苦境が続いている。

２０１５年の統計では世界の貧困層（一日１・90ドル以下で生活）の半数以上がサブサハラ・アフリカ地域に居住している。貧困率では同地域は約41％となっており、深刻である。

アフリカは貧困に苦しむのみならず、多くの国が未だに内戦や紛争に明け暮れている。２０１１年に独立した南スーダンでは二つのエスニック・グループが未だに戦闘を続けており、隣国のウガンダ、エリトリア、エチオピアでは国境紛争や反政府組織のゲリラ活動に悩まされている。また、ソマリア、ルワンダ、ブルンジ、コートジボワール、アンゴラ、コンゴ民主共和国、シェラレオネ等も未だに紛争を抱えたままである。安価なＡＫ47、カラシニコフ・ライフルが市中に出回っており、内戦のみならず一般犯罪にも頻繁に使用されており、深刻な社会問題となっている。

２００１年7月、ザンビア国ルサカ市においてアフリカ統一機構（ＯＡＵ）が発展的に解消され、２００２年7月からアフリカ連合（ＡＵ）が発足した。55ヶ国がメンバーとなっているＡＵ本部はエチオピア国アジスアベバに置かれている。ＡＵはＯＡＵ時代の反省から、アフリカ紛争に対するＡＵ自体の対応能力を高めるため、紛争介入に権限を持つＡＵ平和・安全保障理事会を設けた。近年のスーダン・ダルフール地域紛争にもその機能を発揮し、ＡＵ治安維持軍を派遣している。

それらアフリカ人自身の努力により、全体的に紛争は減少傾向を示しているが、数十年来の内戦や紛争で発生した難民問題は今後に残された重荷である。既にザンビア国西部州や北西部州に定着を始めたアンゴラ難民への支援も始まっているが、現地の人々と平和的に共同体に溶け込んだ例は少数に止まっている。むしろ故郷への帰還が望まれるが、もはや故郷が彼ら難民を受け入れる体制、土地問題や人々との葛藤、にないことが問題を複雑化させている。何れのケースも農業を中心とした農村共同体の強化が喫緊の課題となっており、農業と農村開発に対する早急な支援を必要としている。

5—2　気候と環境

1．気象変動

エルニーニョ南方振動（ＥＮＳＯ）による影響は広範囲に及び、特に降雨パターンが不規則となってある地域への大雨と、別の地域への干ばつをもたらしている。97‐98年のＥＮＳＯは南西部インド洋の海水温度を異常に上げ、東部アフリカの多くの地域に大雨、サイクロン、洪水、土砂崩れをもたらし、一方、南西アフリカ地域は異常乾燥に襲われた。

１９６８年以降、全般的にアフリカの降雨量は減少を続けている。近30年はサヘル地帯の干ばつが激しく、特に１９７３年、１９８４年及び１９９２年（特に南部のみ）には各地で凶作をもたらした。干ばつ害に脆弱な国は、ボツワナ、ブルキナファソ、チャド、エチオピア、ケニア、モーリシャス、モザンビーク等である。

人間の活動、例えば森林伐採や土地・水資源の不適切な管理・開発が気象にも影響している。中西部アフリカにおける熱帯林の伐採は局地的な気象と降雨パターンを変え、干ばつへの脅威を増している。植生の刈り払いは雨水の流失と土壌浸食を起こす。一方、不適切な川のダムや湿地帯の排水は過剰な水を溜めず洪水害を増やす原因となっている。特に深刻な問題は砂漠化であり、降雨不足はケニア国ナイバシャ湖やビクトリア湖の水位の減少を引き起こしている。

特にビクトリア湖は白ナイル川の源流であり、減水は下流域に多大な悪影響をもたらしている。２００５年末の測定によれば標高１１３３・55ｍまで下がり、１９５１年来の最低水準となった。この原因調査の結果、２ヶ所のオーウェン滝ダム（ナルバーレ、キイラ）の過放水が55％、旱魃が45％それぞれ関わっている事実が明らかとなっている（Kull 2006）。また、ナイバシャ湖の湖岸が８００ヤード後退したとデイリー・ネイション紙は報じている（05年11月１日）。この原因は周辺で急速に成長する切花産業による地下からの取水である事実を、当紙は明らかにした。

一方、アフリカの人々と経済は天水農業に大きく頼っており、従って、降雨パターンの変動に脆弱である。干ばつや洪水害に最も弱いのは、限界地域で農牧畜をせざるを得ない小規模農家だ。過去30年間で数百万人の小規模農家の移住を余儀なくされた。しかし、更に生態環境が悪くなる場所に移住する場合もある。干ばつや洪水は直接的な害だけでなく、表土の喪失、土壌劣化、砂漠化、生物多様化の喪失と変化、土壌侵食の増加、川やダムの沈砂、海岸地域の生態系の変化等をもたらし、営農へ甚大な影響を及ぼしている。以下に各サブ地域別の気象変動とその影響を概観する。

〈東部アフリカ地域〉

過去30年間の各10年毎に少なくとも1回以上の厳しい旱魃に遭遇している。特に厳しい旱魃は、73／74、84／85、87、92‐94および99／２０００に発生している。２０２２年には東アフリカで40年間で最悪の干魃が起きている。近年の断続的な旱魃により、ブルンジ、エチオピア、ケニアおよびウガンダにおいて食糧価格の高騰をもたらし、食糧支援の増大を経験した。１９８４年、エチオピアにおいてはおよそ１００万人の餓死者を出し、１５０万頭の家畜を消失し、総計で８７０万人に影響が及んだ。87年にはエチオピアにおいて５２０万人、エリトリアでは１００万人、ソマリアでは20万人が飢餓に苦しんだ。少雨のため川が干上がり、その影響で多くの家畜が死亡し、そのための放牧や水資源の確保をめぐって紛争が勃発している。

〈南部アフリカ地域〉

赤道に近い熱帯収束帯（ＩＴＣＺ）においては、南東風が北東風と合流すると巨大な雨雲を生成する。そのＩＴＣＺは赤道と南回帰線の間を移動し、その南方への動きの強い影響を受けて南部アフリカ地域では雨季の始まりとなる。その動きが雨季の雨の総量と降り方を決定し、ボツワナの上の高気圧が強くＩＴＣＺを押し上げた年は当地域に雨は少なく、旱魃を招く結果となる。前記のＥＮＳＯも多大な影響をもたらし、99／２０００のモザンビークの大洪水や、82／83の南部アフリカの大干ばつの原因となっている。特に91／92年の記録的な旱魃により、食糧生産は54％減産し、１７００万人の飢餓を招いた。

〈中央アフリカ地域〉

中央部および海岸地域は比較的雨量も多く、信頼できる降雨パターンを示すが、北部に向かうほどその量は減じ、年および月の変動は激しくなる。例えば、カメルーン海岸部のドウアラでは３８５０㎜／yrの降雨量に対し、北部のチャド国ジャメナにおいてはわずか５００㎜／yrとなり、定期的な旱魃に見舞われる。中央サヘル地域においては60年代後半あたりから旱魃が激化し、食糧安全保障は低下している。その影響は限界地域で営農を強いられている小規模農家に厳しく、食糧を蓄える能力はほとんど持たない。一方、中央アフリカ地域の熱帯雨林地帯では洪水が常態化している。過去30年で商業的伐採、営農の拡大、燃料薪にするための樹木の伐採等が微気象に大きく影響し、降雨パターンの変動を大きくしているとの指摘もある。

〈西部アフリカ〉

当地域も北部から南部に移動するＩＴＣＺの影響を強く受けている。年間１００‐３００㎜の降雨しかないサヘルの境界地域には砂漠と半砂漠が存在し、モーリタニア、セネガル北部、マリおよびニジェールに及んでいる。それら地域では雨季でさえも川に水が流れない状態から逆に鉄砲水が流れるような状態まで、大きな変動に悩まされている。特にサヘル地域で72‐84年に経験した長期間の旱魃により10万人が餓死し、74年にはマリ、ニジェールとモーリタニアで75万人が完全に食糧援助のみで生命をつなぎとめた。少雨は食糧生産のみならず電力供給の減少ももたらし、ニジェール川のカインジ・ダムによる水力発電不足はベナン、チャド、マリ、ナイジェリアに大きな影響を及ぼした。当地域の問題の一つは砂漠化である。特に乾燥地帯や半乾燥地帯で深刻で、チャド湖水位の減少（２００６年現在、60年代の15分の１程度）は地域住民の経済活動にまで悪影響を及ぼしつつある。

2．生物多様性

アフリカは豊かで多様な生物資源に恵まれており、土着の住民、企業あるいは観光開発等にとって大きな価値が有る。一方、これらの資源は、植生の消失、希少種の過採取、外来種の侵入と蔓延、あるいは不法行為等の圧力により急速に減少している。中西部アフリカ地域における深刻な課題は森林の消失と減少、野生動物の肉に対する需要が伸びているための希少動物種の密猟等である。また、東部アフリカ地域においては保護区域への不法居住や放牧が主要な関心を呼んでいる。南部アフリカ地域では土着の知恵の喪失や知的財産に対する不適切な保護が各種保護政策の施行を妨げている。例えば、薬用植物や希少種の過採取が問題となっている。全地域において外来種の侵入と蔓延が普遍的な問題となっており、特に閉鎖系のビクトリア湖や西インド洋諸島では深刻である。過去30年間の保護パラダイムは保護と保全から持続的な利用や利益の共有に変遷している。もし、アフリカにおいてもこの方向がとられるなら、関係者全員のこれら活動への参加と追加的な研究と記録が必要だ。長期的展望に立った資源活用が望まれ、国際企業ではなく、アフリカの社会と国家が便益に預かれるような公正な制度の構築が待たれる。

3．森林

西部アフリカと中部アフリカ地域のみが完全に覆われた密林を有しているが、マダガスカルと降雨量の多い東南部アフリカ地域の森林も小面積であるものの、同じく重要である。サバンナと潅木林はアフリカの乾燥・半乾燥地で支配的である。これらの地の生態系は密林と大きく異なるが、自然資源に恵まれていると言える。森林も潅木林も共に地域の共同体や国家にとって経済意義は大きく、資源の活用や植物の供給、生態系からもたらされる恵みとなっている。これらの資源や恵みが金銭的に換算されていないため、過小に評価され過剰に収奪されるケースが少なくない。

アフリカは世界で最も森林減少の早い地域である。農業と居住区の土地をめぐる苛烈な競合や燃料のための薪炭の需要増大が森林減少の主要な原因となっている。地域の共同体は生態系のみでなく燃料源の喪失からも負の影響を受けている。多くの国において森林の持続的活用の推進に関わる政策や制度を強化しようとしており、地域協力も進んでいるものの、それらの制度や規制の実施に対しては短期的な利益を求める商業的動機が政府に圧力をかけ、それらを弱体化させている。土着の森林保護、持続的な活用、共同体のオーナーシップ等が強化され、代替燃料の開発等に優先的に取り組む必要がある。

写真―5　森林の消失した山々（マダガスカル）

写真―6　植林が開始された山（同上）

4. 淡水

淡水の絶対量の少なさとその不適切な質がアフリカの開発の大きな阻害要因となっている。その影響は食料生産や工業活動に及び、各種疾病の発生と蔓延の原因になっている。中部および西部アフリカ地域は比較的淡水に恵まれており、まとまった降雨を期待することが出来る。しかし、これらの国々における人口の分布状況は、あるグループにとって水資源への接近を難しくしている。例えば、製造業の水利用者は補助された水資源の恩恵に与れる反面、農村の貧困層は家庭の水を得るため相当の距離を歩く必要がある。

アフリカの角地域（ケニア、エチオピア、エリトリア、ソマリアおよびジブチ）とサヘル地域においては降雨の不規則性と頻繁な旱魃に見舞われる。特に水資源への接近と使用量において、南部アフリカは最大の二極化が進んでいる地域である。

一方、ほとんどの国が水質の悪さに苦しんでおり、水質の改善と汚水の再利用施設建設を悲願としている。現状では工場や家庭汚水のほとんどは無駄に流され、川や海の水の汚染を誘引し、人々の生活や水界の危機を招いている。淡水汚染は処理と供給コストを上げ、利用可能な水量の問題をより複雑化する。各国における関連省庁の連携と意思疎通により、水資源の持続的使用の共通課題に取り組むべきであろう。

5. 土地

土地資源はアフリカの文化と開発の礎石とも言えるものだ。放牧と自給農業は伝統的な習慣であるが、商業的プランテーションが過去30年間推進されてきた。特に西部および中部アフリカ地域では、経済成長の源として強化されてきた。しかしながら、アフリカの土壌は一般的に耕作に適さず、不規則な降雨の割には灌漑が発達した国は限られている。作物選択の幅が少ない農業への過度の偏りは経済と環境双方の後退を招いている。

国家開発計画と国際貿易協定あるいは制限は農業開発と自然資源の質に影響している。土壌と植生は、過度の化学肥料や農薬の使用、休閑の短縮、単作の増加、辺境の開拓等により劣化が進んでいる。東部と南部アフリカ地域においては土地と資源の利用をめぐって利用者間で紛争が絶えず、大きな課題となっている。それらは複雑で不適切な土地所有政策や、その結果として農家、牧畜家、保護地区の葛藤を招いている。

砂漠化はアフリカの最大の問題である。特に気候変動の激しい乾燥・半乾燥地において深刻であり、土地の不適切な管理が伴えば持続的農業生産のみならず植生にも重大な脅威を及ぼしている。

土地所有制度とその改革への国際協力、適正な目標設定による総合的土地資源管理、等が現在喫緊の課題となっている。気候変動のみならず、これら土地資源の適正管理に対しては継続的なモニターが必要であろう。

6. 環境問題と経済活動への影響

現代アフリカが抱える問題は、歴史から来る問題、市場経済から派生する問題、自然環境問題等が複合的に折り重なって、極めて複雑な様相を示している。一つ一つの解決を模索するのみならず、総合化した取り組みが求められていると言える。例えば、森林伐採や植生の喪失は土壌侵食を招き、それらの結果としての表土堆積や生物の窒息を通して水界、海岸部の生態系に悪影響を及ぼしている。更に、水の絶対量と質を低下させ、海岸部の浸食を加速化し究極的に気候変動をもたらし淡水量の減少と海水面の上昇さえ引き起こしかねない。砂漠化は当然の帰結として微気象に影響し、降雨の不規則性を増し、一方マクロ的には地球温暖化を加速させる。

自然現象としてあるいは森林伐採等の人工的要因により降雨は減少するが、それは既存のインフラストラクチャーや都市開発にも影響し、先に指摘したような電力の低下に結びつく。電力低下はパワーの高価格を招き、ますます燃料としての森林伐採へと悪循環する。

このように環境保全は持続的開発の柱として人類や他の生物の生存に関わってくる。適正に保全されれば、多くの必要物を供給し人々の生活を保障する。また、都市部での廃棄物も環境保全の視点から適正に処理されるべきであろう。特にアフリカには多くの小規模農家が存在し、自然資源に生命を託している。加速化する環境悪化は、これら小規模農家にとっても極めて深刻な問題であり、複合的・総合的な取り組みと対策が早急に必要とされている。

19世紀を迎えるまでアフリカには深刻な飢餓は存在していなかったと言われている。各民族は村落共同体を中心とした農牧業を古代から営々と受け継いできており、それぞれ自立した運命共同体として自然と共生してきた。土地所有の観念は希薄で、他民族とは暗黙の内に棲み分け、最小限の干渉の中で自由に移動し生活していた。その頃は森林も多く、野生の果樹や生物も豊富であったため、飢える経験は稀であった。西欧諸国が到来して生活は一変し、土地生産性の高い立地有利な地域が囲い込まれると同時に土着のアフリカ人は過酷な環境に追いやられるようになった。各民族の上層部は指導層・エリートとなり、教育も受けて近代的・文化的な生活に入る特恵を受けるようになったが、大多数の小規模農牧業を営む住民は移動が封じられ、厳しい環境の中で自給自足生活を余儀なくされている。

近代に入りほとんどのアフリカ諸国は独立を勝ち取っていったが、経済的な独立には多くの障害があった。それら諸国の開発に多くのマクロ経済処方、構造改革政策が示され、インフラ整備が行われ、農業農村開発事業が実施されてきた。しかし、工業化が立ち後れたアフリカにとっての産業は鉱業や農業等の一次産業以外に見るべきものは多くない。国立公園を中心とした観光産業もインフラの未整備と一般犯罪の蔓延のため多くの観光客を誘致できず、遍く全国民を潤すほどの外貨獲得に成功していない。

近年は自由経済の下に換金作物の導入が焦眉の急となっている。しかし、それらの導入がむしろ小規模現地農民を自然環境劣悪な奥地へと追いやった歴史があり、能力のない農民は貨幣経済に入りえず、より厳しい生活を強いられる状況さえ生じている事実は記憶しなければならない。コーヒー、茶、綿、ココア、サトウキビ等、植民地後の輸出作物の他、近年は生鮮野菜、花卉類のヨーロッパへの輸出が企業的に行われ、外貨を獲得している。それら産業への周辺農家の取り込みにより現金収入の道が開かれるとの期待から、関連事業への協力の投資が増加している。ザンビアのように農業の商業化を促進し、輸出を伸ばす国家農業開発計画を策定した国さえある。ケニアの例では伝統的な輸出農産品も、あるいは近年の生鮮野菜、花卉類の生産も共に世界的レベルに達した国も存在する。また、農産物付加価値の付与、小規模工芸品製作等により農村部貧困層の収入増に活路を開こうとの試み、例えば「一村一品」運動等も始まっている。

しかし、ザンビアやケニアにおいてさえも貧困と飢餓は恒常的に発生しており、輸出農作物によって獲得した外貨がそれら貧困と飢餓に苦しむ農家には無縁である事実を示している。また、立地に大きく左右される営農を鑑みる時、インフラも発達していない奥地の小規模農家自身が市場経済の中で成功するとの考えは楽観的すぎるだろう。政府から届く各種福祉・支援も最小限に止まる遠隔地の農家にとっては各種権原（entitlement）が都市住民に比して少なく、貧困→栄養失調→少収入・少食料生産→貧困、の悪循環を絶つ手段を市場経済のみに委ねることは、少なくとも現時点では出来ない。近代的な手段によるある種の乱開発は、森林を減じ、微気象を変え、降雨パターンさえも不規則とした。近年のビクトリア湖水位の減少（海抜１１３５・55ｍ、１９５１年来の最低水準、Daniel Kull, Feb. 2006）はこれら気象変化によるもの（45％）とする見解があり、乱開発への警鐘と受け止めるべきであろう。

5—3　持続的農業

（1）　必要性

アフリカ地域の農業と農村は多くの問題と開発阻害要因を抱えている。立地有利な大規模企業農家と地理的社会的に立地不利な小規模自給農家の格差の拡大（二極化）、土壌肥沃度の低下、降雨パターンの不規則性、インフラの未整備等であり、今後の開発阻害要因として公共性観念の不在や依存体質の漸増等が顕著である。それらが複合して農業生産を低下させ、市場経済への乗り遅れとも相まって、特に小規模自給農家は生活レベルの低迷に甘んじているのが現状である。そのため天候異変、特に干ばつに対して脆弱であり、生産の激減となる年は凶作となり飢饉を招く。貧困農家は食料入手（購入）能力（Capability）に劣り、権原（Entitlement）を剥奪されるため、飢餓が恒常化している地域が少なくない。

これらの一原因であり、結果でもある有機物の減少はアフリカ全土で不可逆的に進行しており、有機物絶対量の減少は環境許容量（キャリング・キャパシティー）を劣化させている。有機物、大部分は大気中炭素を取り込んだ炭酸同化物、の減少は地上では森林等植生の減少、消失、地表下では腐植の喪失を意味し、侵食激化と土地生産性の低下は必然的な結果となっている。有機物を農地に還元し、森林を再生させて流域全体で環境保全を図る「炭素取り込み（carbon sequestration)」の概念は今後のアフリカ環境保護の、究極的には居住する住民生活の鍵とも言える。究極的には地球環境保護に繋がる。このようなアフリカの農業と環境の現状に対する対応策は地道に持続的農業を推進する以外ない。

持続的農業は持続的に向上する生産性、収益性の上昇、村落社会との親和性、及び環境保全と人々の健康増進、の4点の特質を全て備え、それぞれ「大地」「農家」「農村」「都市・グローバル」の繁栄の礎石である。直接的には持続的農業の推進は環境改善の一必要条件と言える。図5—2に持続的農業が備えるべき4要素を概念的に示した。

持続的農業の具体的推進策として次のような課題に取り組むことが考えられる。

＊　堆厩肥使用等による土壌肥沃度の向上
＊　作付け体系の合理化（特に豆科作物の導入）
＊　土壌侵食防止
＊　適正灌漑法の導入・普及
＊　アグロフォレストリー推進
＊　稲作の振興（水稲、陸稲）
＊　ポスト・ハーベスト技術開発・普及
＊　適正機械の開発
＊　総合的流域管理
＊　市場流通制度の合理化

これらは単独に取り組んでも、極めて大きくかつ深刻な専門的課題であるため、本書では項目・概要を指摘するに止める。

図５-２　持続的農業の4要素

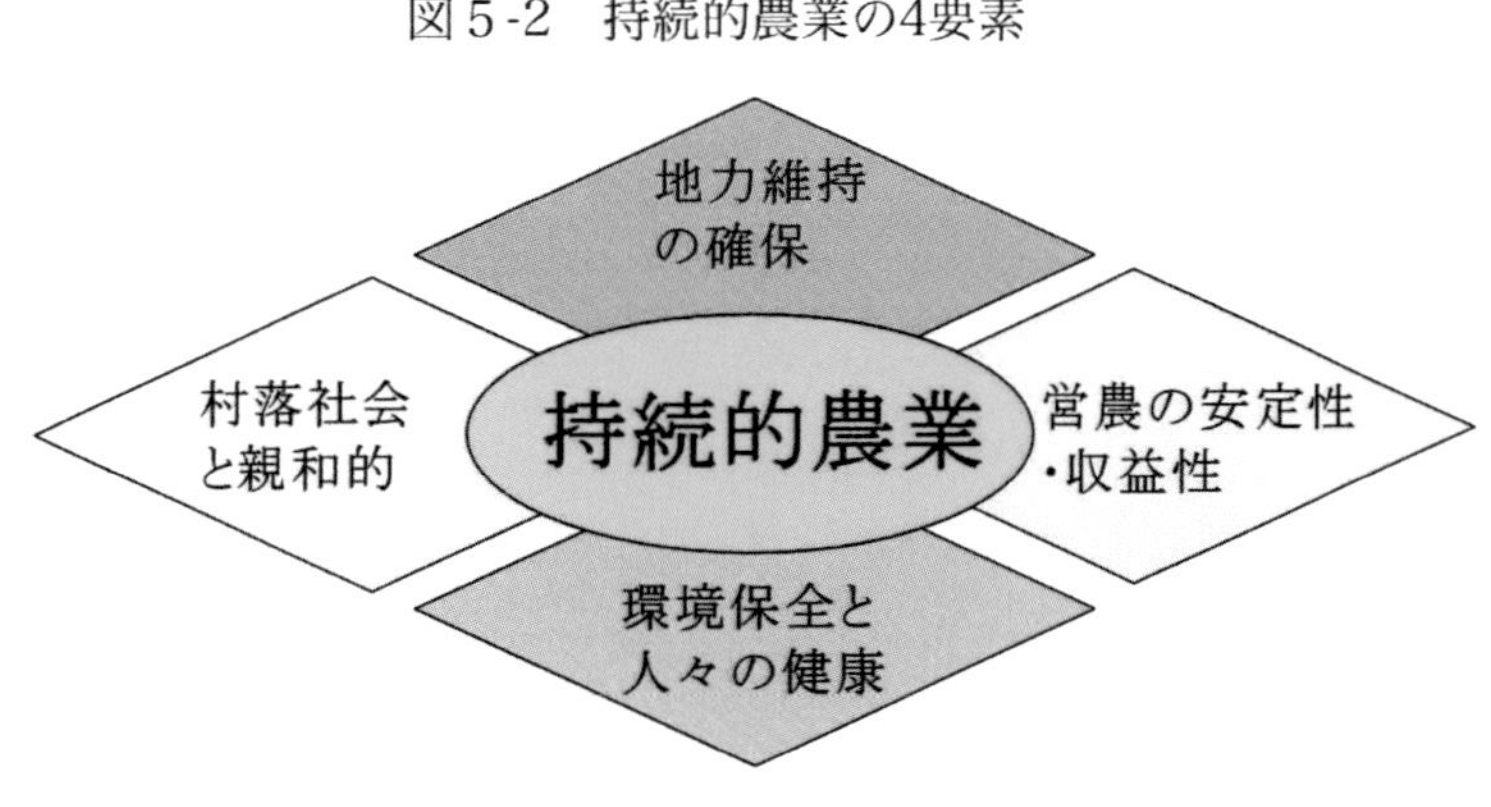

（２）　持続的農業研究普及

適正な農村開発を通じた環境保護は多分野複合的開発手法を採らざるをえないが、その事実は軸足が農業から離れることを意味しない。産業としての農業が衰えれば、個人的、社会的な生活水準向上にも悲観的にならざるを得ず、農地及び周辺環境の保全まで脅かされる恐れがあるため、持続的な農村発展は望み得なくなる。従って、農村自立発展の中心には常に持続的農業が存在してなければならない。

ここで遠藤（１９９９）は持続的農業を次のように定義している。**「作物や家畜を対象として、管理生態系の下で生産活動を行い、営農の生産性や安定性、持続性の維持向上、また、生産費低減などによって再生産を保証し、農業生態学的には地力維持や環境保全の確保を管理対象とした最適農業システム」**。つまり、短期的生産向上のため多投を続けた農薬・化学肥料はむしろ生産環境の悪化をもたらしており、物質循環は変調していると把握されている。

持続的農業はその生態系機能復活を主眼とはするものの、より合理的生態系管理と経営的な安定を期しているため、単に原始農業への回帰とは異なる。また、土壌有機物増加を計るものの、化学肥料や農薬使用を全く否定する有機農法や自然農法とも一線を画している。つまり、多労性や収量の低位性は当農法の主旨に合致しないと言える。

（３）　適正技術

アフリカ地域の農家は近代的技術を駆使できない貧困自給レベルに止まる層が圧倒的に多く、地域的特性や気象的な条件に制約されるため適正技術開発は緊急課題の一つと捉えられる。

農業分野における適正技術（Appropriate Technology）を論ずる場合は、自然環境の中における生産の場や社会経済の中の販売流通の場はもちろんのこと、農業生産の主体である農家の技術・資本力等の人為面に至るまでの多面的な適正さの検討が必要である。また、もっとも近代的な技術もその対極にある伝統的な焼畑農業技術も、ある時空間におけるある農家にとっては共に適正な技術である可能性がある。しかし、現在適正技術と言う場合、高度で高価な近代的資機材の使用から一歩下がり、安く簡単に開発途上国で製造可能で、かつ中小規模農家技術と経済でも使用することが可能な資機材の使用とその体系、と言うことができる。これは従来言われてきた中間技術とほぼ同概念と考えて大きな誤りはない。

一方、市場経済制度下では生産物および資機材の価格は変動し、個々の農家の技術・資本等も流動的で農家間経済格差は大きくなりつつあり、単一の適正技術開発のみで全ての貧困農家の一人立ちや技術格差・経済格差の縮小を達成することは不可能と言える。

したがって、途上国の貧困農家でもできるだけ早く望ましい近代化ができる技術と資本を持ち自立することを目標とするなら、適正技術も含む連続的な技術の諸段階の開発、提示が不可欠と言える。

（4）　持続的農業技術例

農業を持続的とする農法や技術、あるいは農産物流通を視野に入れた市場への対応知識や情報等は膨大であり、時空間が変われば適正な技術も変わる点を前節で指摘した。従って、ここではアフリカで普遍的に必要とされる代表的農業技術のみを紹介する。

1）　有機質肥料の使用

作土の化学性のみならず物理性の改善を図るため、圃場での有機質増加を図るのは重要だ。そのためには輪作や休閑と共に堆厩肥の施用が効果的である。ザンビアでは「クラール」と呼ばれる厩肥製造・施用法が古くから慣行法として存在している。有刺鉄線や有刺潅木により畜牛の囲いを設け、一定期間その場で飼育する。その間に溜まった牛糞を肥料とし、跡地で野菜等を栽培する。クラールは順次移動し、牛糞は無駄なく肥料として使われる。伝統的複合農法であり、大変理に適っている。

そのように厩肥の施用は比較的一般的であるが、堆肥の製作と施用は余り普及していない。今後農地の生産性増加の一手段として堆肥作りが勧められる。作物残渣や雑草等を積み上げる方法もあるが、同程度の大きさの穴を掘って、下から同じように積み上げていく方法も有効である。穴の大きさはおよそ１・５ｍ×０・８ｍ×１ｍ（深さ）程度が標準だ。

この場合、カバーの必要が無い一方、攪拌や搬出がやや困難である。周辺に鶏舎等があり、鶏の糞等に雑菌の繁殖を確認できれば乾いた土と混ぜて「ボカシ肥え」を作ることができる。上記で準備した堆肥の上にふり掛けて発酵を促せば、有機質の分解は促進される。何れの場合も試行錯誤して、地域にあった材料、方法を見つけ出すのが重要だ。

2） 侵食防止

土壌侵食は重力、水、風あるいは氷河等により表土が持ち去られることを指す（水による時は浸食として区別される）。農地の場合、その表土の移動は土地の生産性を直接脅かす。アフリカでは特に水による浸食が深刻であり、その防止は緊急の課題となっている。土壌侵食の防止戦略には主に次の３方法がある。

ｉ．　雨滴や表土流出水による浸食力を、被覆作物やマルチにより軽減する

ⅱ．　土壌の物理性を改善して水を土中に速やかに浸透させる

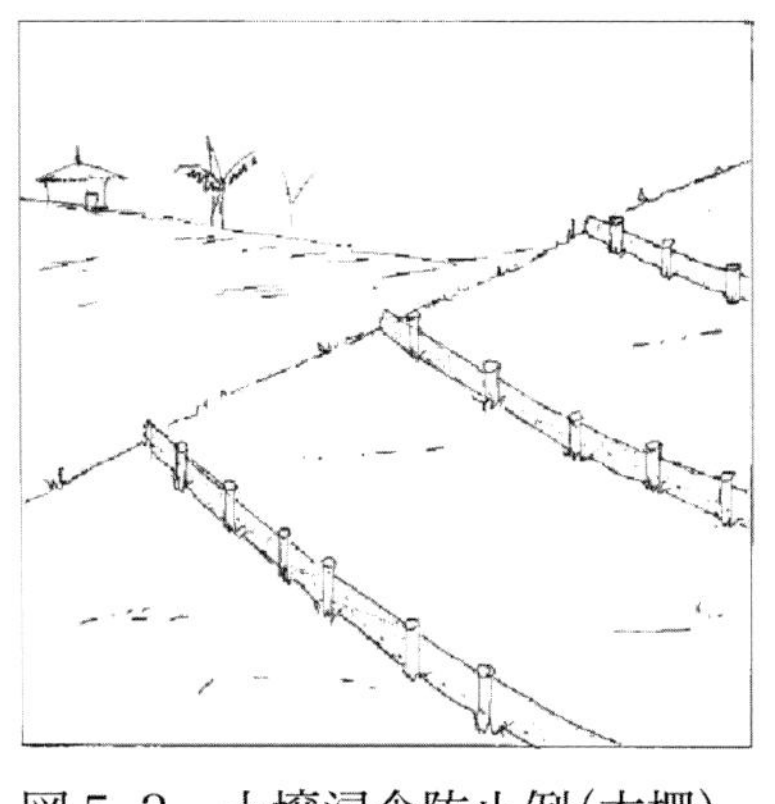

図５-3　土壌浸食防止例（木柵）

図５-４　必要な農具とＡフレーム

図５-５　石垣による浸食防止

iii．　傾斜地を流れ落ちる水の勢いを構造物により減じる

iii．の構造物に関しては土地に豊富にある安価な材料を使用するのが有利である。図5—3及び図5—5に代表的な構造物を図示した。等高線の測定は図示したようなAフレームにより簡易に行える。その他、等高線に沿って飼料木や肥料木を植えたり、あるいはイネ科のベチバー（Chrysopogon zizanioides）等による生垣が使われる。

3）　ウォーターハーベスト

小川や池が近くにあれば、低コストの灌漑施設や機材の使用による灌漑が可能である。木、竹、石等のローカル資材を使った簡易堰とその横からの灌漑水路の組み合わせで数キロメートル離れた畑に導水できる。また、安価な足踏みポンプ等が市販されており、百ドル程度で購入可能だ。図5—6はケニア国内で60ドルで販売されているタイプである。

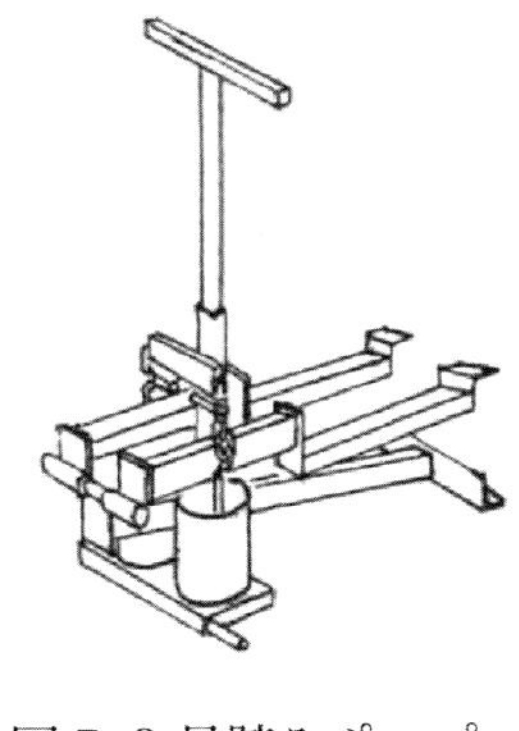
図5-6 足踏みポンプ

しかし、多くの半乾燥地や乾燥地では近隣に水源が無く、雨水にのみ頼らざるをえない。その様なときに有効な方法はウォーターハーベストである。山の麓や傾斜地では降雨後表面を流出する水を畦等で一ヶ所に集め、畑に導水できる。畑の中にも溝を縦横に回して地下に水を浸透させれば、土中の水分は長期間保たれる。あるいは畑の手前に池を造営しておき、貯水して必要なとき使うことも出来る。畦の作り方は人力に頼る他、畜力で行うことも出来る。プラウの使用も可能であるが、無い場合は畜力利用の作溝機は安価に準備できる。

イスラエルではビニールシートを使用した集水技術が研究されている（写真—8参照）。アフリカの小規模農家にとって、ビニールシートは高価であり、その代替として豊富なエレファントグラスの使用が推奨される。現実にマッシュルームハウスの屋根から落ちる雨水を下のポット等で受けて灌水している農家も見受けられる（写真—9参照）。

その他の例として、イタリアはオムツの完全再利用を開始したが、日本では鳥取大学で早くから石油ポリマーを利用した砂漠化対策技術が研究されている。オムツのリサイクルで世界の乾燥地農業、特にアフリカ・サバンナ地帯の農業生産安定化に寄与できる可能性は大だ。

写真―7　溝による雨水収穫（ケニア）

写真―8　集水技術試験
（イスラエル）

写真―9　マッシュルームハウスの屋根からの集水（ザンビア）

あとがき

22世紀、我々の子孫は生き残っているだろうか？　地球の美しい「フルサト」の中で生を謳歌しているだろうか？　これらの答えは、現在の我々が武器を、核兵器を削減し、争いを地上から遠のけることが可能か否かに掛かっている。「世界平和を！」、あるいは「戦争反対！」等の叫びに対し、現況の国連は耳を塞ぎ、徒に覇権国の暴走に指をくわえて見ているだけの集団でしかない限界をさらけ出した。諸悪の根元とも言うべき拒否権を5大国が握っている限り、例え日本が安全保障理事会の常任理事国に入ったとしても、何も変えることはできない。国連憲章の改正さえも、5大国の一ヶ国の反対で実現できないようになっているからである。このメビウスの輪を断ち切ることができるのは日本しかない。日本が22世紀の地球の運命を握っていると言える。本文で「人の見ていないところでは不正をはたらく日本人」との悲観的側面を述べたが、実は日本人は他の側面で「人の見ていないところで努力する」という美点をも持っている。各種スポーツ、芸術・芸能等、世界水準を超えている日本人の多さを見ても、日本人が影で如何に努力しているか明らかだ。リチャード・アーミテージ元米国務副長官も、日本が米国と対等の立場になったとし、今後の地球規模での役割に期待を表明した（２０２０年12月20日、読売新聞）。日本の地球規模での役割は、国連改革を通した世界平和実現と、「フルサト」の普及である。

22世紀が明色か暗色かは、平和が実現するか否か、に次いで自然環境が保全されているか否か、にも掛かっている。脱炭素化が一つの道であるが、「フルサト」の存在がビジョンとして有望である。地球環境と人との共生を現実化させる美しく、そして人が豊かな暮らしをおくる村落を創り上げる事業が日本の津々浦々に実現されることが待たれる。次に豊かな生活を世界で共有するためには、日本の「フルサト」の思想と創造手順を伝えるのが必須である。特にアフリカに村落開発の名の下に「フルサト」創成のきっかけとなるプロジェクトを実施するのが望ましい。協力事業による当分野への援助の拡充が待たれる。

本著が刺激になって専門家の方々がより現実的な問題解決策と道程を示していただければ、それこそ著者の最大の喜びです。

著者の学生時代は学園闘争の真っただ中であった。その中、寮で同室であった先輩たちからは、知的刺激を大いに受けた。近藤誠氏、大久保覚太郎氏、高橋弘氏（故人）との毎晩遅くまでの討議は著者の血肉となって、その後の人生に大きな影響を受けた。特に、高橋弘氏からは「ふるさと資源の再発見」を通して、村落開発へのヒントを与えられた。記して感謝の念を届けたい。

二木農園にて

令和5年4月

主な参考文献

クライン孝子「拉致─被害者を放置した日本　国をあげて取り戻したドイツ─」海竜社、２００３年12月
サミュエル・ハンチントン、鈴木主税訳「文明の衝突」集英社、１９９８
ジャン＝ピエール・デュピュイ、森元庸介訳「経済の未来」以文社、２０１３
ダニエル・コーエン、林昌宏訳「経済は、人類を幸せにできるのか？」作品社、２０１５
ダニエル・ヤーギン、ジョセフ・スタニスロー、山岡洋一訳「市場対国家」日本経済新聞社、１９９８
ヘンリー・ストークス「戦争犯罪国はアメリカだった」ハート出版、２０１６
Ｔ・Ｒ・マルサス「人口論」中央公論新社、１９７３
リチャード・Ｅ・ニスベット、村本由紀子訳「木を見る西洋人森を見る東洋人」ダイアモンド社、２００４
安倍晋三「新しい国へ　美しい国へ完全版」文芸春秋、２０１３
天木直人「さらば日米同盟」共同通信社、２０１０
阿羅健一「『南京事件』日本人48人の証言」小学館、２００２
新井喜美夫「日米開戦の真実」講談社、２００１
飯田進「魂鎮（たましずめ）への道」岩波書店、２００９
池上彰「世界から戦争がなくならない本当の理由」祥伝社、２０１９
石弘之「地球環境報告」岩波書店、１９８８

伊勢崎賢治「本当の戦争の話をしよう」朝日出版社、２０１５
猪木正道「軍国日本の興亡」中央公論新社、１９９５
上杉勇司「変わりゆく国連ＰＫＯと紛争解決」明石書店、２００４
江藤淳「閉された言語空間」文春文庫、１９９４
大野晋１「日本語の源流を求めて」岩波書店、２００７
大野晋２、森元哲郎、鈴木孝夫「日本・日本語・日本人」新潮社、２００１
沖森卓也「日本語の誕生」吉川弘文館、２００３
梶原一義「日本型『談合』の研究」毎日新聞出版、２０２２年９月
加藤陽子１「戦争の日本近現代史」講談社、２００２
加藤陽子２「それでも、日本人は『戦争』を選んだ」朝日出版社、２００９
鹿野政直「沖縄の戦後思想を考える」２０１８、岩波書店
鎌田東二「神道とは何か」ＰＨＰ研究所、２０００
金谷俊一郎「日本人の美徳を育てた『修身』の教科書」ＰＨＰ研究所、２０１２
木佐芳男「〈戦争責任〉とは何か」中央公論新社、２００１
北岡伸一「後藤新平」中央公論新社、１９８８
北村稔「南京事件の探求」文芸春秋、２００１
木内知美、若月利之「熱帯アフリカの土壌資源」国際農林業協力協会、１９９０
鬼頭宏「環境先進国・江戸」ＰＨＰ新書、２００２
菊池勇夫「飢饉」集英社、２０００年

久馬一剛「食料生産と環境」化学同人、１９９７、
小倉紀蔵「歴史認識を乗り越える」講談社、２００５
小原克博「一神教とは何か」平凡社、２０１８
小松啓一郎「暗号名はマジック」ＫＫベストセラーズ、２００３
佐伯啓思１「さらば、資本主義」新潮社、２０１５
佐伯啓思２「日本の宿命」新潮社、２０１３
佐伯弘文「移民不要論」産経新聞出版、２０１０
坂口勝美「熱帯の飼料木」国際農林業協力協会、１９８８
佐治芳彦「謎の神代文字」徳間書房、１９７９
佐藤優＆大川周明「日米開戦の真実」小学館、２００６
佐藤勝彦「宇宙には誰かいますか」河出書房新社、２０１７
嶋田義仁「砂漠と文明」岩波書店、２０１２
島本慈子「戦争で死ぬ、ということ」岩波書店、２００６
下嶋哲朗「平和は退屈ですか」岩波書店、２０１５
進藤榮一「アジア力の世紀」岩波書店、２０１３
鈴木孝夫「日本語教のすすめ」新潮社、２００９
太平洋戦争研究会「東京裁判がよくわかる本」ＰＨＰ研究所、２００２
竹田恒泰「日本はなぜ世界でいちばん人気があるのか」ＰＨＰ研究所、２０１１
津田幸男「日本語防衛論」小学館、２０１１

辻達也「江戸時代を考える」中央公論社、１９８８
筒井若水「違法の戦争、合法の戦争」朝日新聞社、２００５
仲晃「黙殺　ポツダム宣言の真実と日本の運命」日本放送出版協会、２０００
中谷巌「資本主義以後の世界」徳間書店、２０１２
中西輝政「国民の文明史」扶桑社、２００３
二木光「アフリカ貧困と飢餓克服のシナリオ」農文協、２００８
西尾幹二「国民の歴史」扶桑社、１９９９
西部邁１「国民の道徳」扶桑社、２０００
西部邁２「保守の遺言」平凡社、２０１８
新渡戸稲造、佐藤全弘訳「武士道」教文館、２０００
芳賀綏「日本人らしさの発見」大修館書店、２０１３
長谷川熙「アメリカに問う大東亜戦争の責任」朝日新書、２００７
服部龍二「外交ドキュメント歴史認識」岩波書店、２０１５
林良博、高橋弘、生源寺真一「ふるさと資源の再発見」家の光協会、２００５
速水融「歴史人口学で見た日本」文芸春秋、２０１１
半藤一利１「真珠湾の日」文芸春秋、２００３
半藤一利２「昭和戦争・失敗の本質」新講社、２００９
半藤一利３「ノモンハンの夏」文芸春秋、２００１
半藤一利４「なぜ必敗の戦争を始めたのか」文芸春秋、２０１９

半藤一利5、保阪正康、中西輝政、戸高一成、福田和也、加藤陽子「あの戦争になぜ負けたのか」文芸春秋、２００６
日高義樹「誰が世界戦争を始めるのか」徳間書店、２０１７．４
広井良典「定常型社会」岩波新書、２００１
藤田久一「戦争犯罪とは何か」岩波新書、１９９５
藤正巌・古川俊之「ウェルカム・人口減少社会」文芸春秋、２０１０
船曳建夫「右であれ左であれ、わが祖国日本」ＰＨＰ研究所、２００７
古田隆彦「日本人はどこまで減るか」幻冬舎、２００８
保阪正康１「あの戦争は何だったのか」新潮社、２００５
保坂正康２「東京裁判の教訓」朝日新聞出版、２００８
保阪正康３「日本の地下水脈」文藝春秋２０２０年７月号~２０２１年１月号
保坂幸博「日本の自然崇拝、西洋のアニミズム」新評論、２００３
細谷雄一「安保論争」筑摩書房、２０１６
前田愛「幻想の明治」岩波書店、２００６
孫崎亨「日米同盟の正体」講談社、２００９
的川泰宣「宇宙と太陽系の不思議を楽しむ本」ＰＨＰ研究所、２００６
水野和夫１「閉じてゆく帝国と逆説の21世紀経済」集英社、２０１７
水野和夫２「資本主義の終焉と歴史の危機」集英社、２０１４
宮田登「カミとホトケのあいだ」吉川弘文館、２００６
宮本常一１「飢餓からの脱出」八坂書房、２０１２

宮本常一２「忘れられた日本人」未来社、１９７１
毛受敏浩「限界国家」朝日新聞出版、２０１７
茂木健一郎＋加藤徹「東洋脳X西洋脳」中央公論新社、２０１１
藻谷浩介「里山資本主義」角川書店、２０１３
森田良行「日本人の発想、日本語の表現」中央公論社、１９９８
柳田国男１「遠野物語・山の人生」岩波書店、１９７６
柳田国男２「国語と教育」河出書房新社、２０１５
山折哲雄「これを語りて日本人を戦慄せしめよ」新潮社、２０１４
山田順子「なぜ、江戸の庶民は時間に正確だったのか?」実業之日本社、２００８
山本七平１＋小室尚樹「日本教の社会学」講談社、１９８１
山本七平２「日本人と組織」角川書店、２００７
山本博文「江戸に学ぶ日本のかたち」日本放送出版協会、２００９
湯川洋司、市川秀之、和田健「日本の民族６」吉川弘文館、２００８
吉田康彦「国連改革」集英社、２００３
読売新聞責任検証委員会「検証　戦争責任　Ⅰ&Ⅱ」中央公論新社、２００６年7月
渡辺京二１「逝きし世の面影」平凡社、２００５
渡辺京二２「現代農業増刊号『21世紀は江戸時代』、『江戸時代庶民の自由と自立』」農文協、２００３
渡辺京二３「なぜいま人類史か」洋泉社、２００７
渡辺京二４「バテレンの世紀」新潮社、２０１７

渡辺昇一１「国民の教育」扶桑社、２００１

渡辺昇一２「日本人の本能」ＰＨＰ研究所、１９９６

渡辺昇一３「日本は侵略国家ではない」海竜社、２００８

渡辺利夫「新脱亜論」文芸春秋、２００８

Niki,H., Furuichi,S., Irea,S., 2006. ″Panticipatory Approach to Sustainable Village Development (PASViD) Sub-Sahara Africa″, JICA

Niki,H., Furuichi,S., Irea,S., 2006. ″Sustainable Agriculture Technologies (SAT) for Sub-Sahara Africa″, JICA

著者略歴

二木　光（にき　ひかる）

１９４７年生まれ。66年萩高等学校卒業、宇都宮大学農学部入学。70年から在学のまま青年海外協力隊参加（フィリピン、２年）。75年宇都宮大学農学部修士課程修了。78年からＪＩＣＡ専門家としてスーダン（２年）、ボリビア（５年）、エジプト（３年８ヶ月）、バングラデシュ（４年）、ザンビア（３年）、東ティモール（半年）、ＪＩＣＡ東南部アフリカ地域支援事務所（ケニア、２年）、東ティモール（３年３ヶ月）、ケニア（２年11ヶ月）等に赴任。90年よりＪＩＣＡ国際協力専門員（農業農村開発、２０１３年退職）。２００２年より1年半千葉大学園芸学部非常勤講師。農学博士（パシフィック・ウェスタン大学）。著作は「アフリカ貧困と飢餓克服のシナリオ（農文協）」「東南部アフリカの持続的村落開発（ＪＩＣＡ）」「日本が地球を救う（東京図書出版）」等

今こそ世界平和の旗手となれ
日本の「フルサト」が和やかな未来を創る

2024年6月30日発行　著　者　二　木　光
発行者　向田翔一

発行所　株式会社22世紀アート
〒103-0007
東京都中央区日本橋浜町3-23-1-5F
電話　03-5941-9774
Email: info@22art.net　ホームページ：www.22art.net

発売元　株式会社日興企画
〒104-0032
東京都中央区八丁堀4-11-10 第2SSビル 6F
電話　03-6262-8127
Email: support@nikko-kikaku.com
ホームページ：https://nikko-kikaku.com/

印刷
製本　株式会社PUBFUN

ISBN：978-4-88877-209-9